SILKE LEOPOLD

Verdi

La Traviata

Weitere Bände der Reihe **OPERNFÜHRER KOMPAKT:**

Daniel Brandenburg ▪ Verdi ▪ Rigoletto
Michael Horst ▪ Puccini ▪ Tosca
Detlef Giese ▪ Verdi ▪ Aida
Robert Maschka ▪ Beethoven ▪ Fidelio
Robert Maschka ▪ Wagner ▪ Tristan und Isolde
Volker Mertens ▪ Wagner ▪ Der Ring des Nibelungen
Clemens Prokop ▪ Mozart ▪ Don Giovanni
Olaf Matthias Roth ▪ Puccini ▪ La Bohème

Silke Leopold ist eine prominente Opern-Forscherin und Musikwissenschaftlerin. Bei Bärenreiter veröffentlichte sie *Händel. Die Opern*, das *Mozart-Handbuch* und *»Guten Morgen, liebes Weibchen«. Mozarts Briefe an Constanze*. Sie ist Herausgeberin der *Bärenreiter Studienbücher Musik* und der Reihe *Bärenreiter Basiswissen*.

OPERNFÜHRER KOMPAKT

SILKE LEOPOLD

Verdi
La Traviata

Bibliografische Information der Deutschen Nationalbibliothek
Die Deutsche Nationalbibliothek verzeichnet diese Publikation in der Deutschen Nationalbibliografie; detaillierte bibliografische Daten sind im Internet über www.dnb.de abrufbar.

Gemeinschaftsausgabe der Verlage Bärenreiter, Kassel,
und Seemann Henschel GmbH & Co. KG, Leipzig
Umschlaggestaltung: Carmen Klaucke, Berlin, unter Verwendung
eines Fotos von Hans Klaus Techt (Anna Netrebko, Salzburg 2005)
© picture-alliance / dpa / dpaweb
Lektorat: Jutta Schmoll-Barthel
Innengestaltung und Satz: Dorothea Willerding
Korrektur: Daniel Lettgen, Sankt Augustin
Notensatz: Tatjana Waßmann, Winnigstedt
Druck und Bindung: GGP Media GmbH, Pößneck
ISBN 978-3-7618-1604-2 (Bärenreiter) ▪ ISBN 978-3-89487-905-1 (Henschel)
www.baerenreiter.com ▪ www.henschel-verlag.de

Inhalt

»La Traviata« auf dem Dorfe: Eine Welt im Umbruch 7

Verdis Leben und Werk im Spiegel seiner Zeit 10

Von Le Roncole nach Paris: Verdi macht Karriere 10 ▪ Das Politische und das Private: Höhepunkte in Verdis Schaffen 14 ▪ Reiche Ernte: Die Vermarktung der »Traviata« 17 ▪ Historische, biografische und werkspezifische Daten 20

Entstehung und Sujet 26

Alphonsine – Marie – Marguerite – Margherita – Violetta: Ein Lebens-Wandel 26 ▪ Vom Roman zum Libretto 31 ▪ Komponieren im Schweinsgalopp: Sechs Wochen für »La Traviata« 40 ▪ Die Handlung 41 ▪ Die Figurenkonstellation 46

Die musikalische und dramaturgische Gestaltung 47

»Die üblichen Konventionen« 47 ▪ Beglückende Popularität: Melodie und Rhythmus 50 ▪ Kommentieren, Kolorieren, Koordinieren: Verdis Orchesterbehandlung 55 ▪ Die Tonarten 59 ▪ Streifzug durch die Partitur 62

Inszenierungsgeschichte 99

Stimme oder Figur? Violetta auf der Bühne zu Verdis Lebzeiten 99 ▪ Inszenierungen des 20. Jahrhunderts und das Regietheater 105

Jenseits der Opernbühne: »La Traviata« auf CD, im Film, als Ballett und als Filmmusik 111

Musikalische Interpretationen: Violetta auf Tonträgern 111 ▪ Violetta auf der Leinwand: Verfilmungen der Oper 114 ▪ Violetta – Margherita – Marguerite – Marie – Alphonsine: Eine unendliche Film-Geschichte 118 ▪ »Die Kameliendame« als Ballett 122 ▪ »La Traviata« als Filmmusik 125

Anhang 129

Zitierte und empfohlene Literatur 129 ▪ Glossar 130

»La Traviata« auf dem Dorfe: Eine Welt im Umbruch

Lang ist der Weg von Palermo hinauf in die Berge, wo die Bewohner von Donnafugata auf die Ankunft der Fürstenfamilie Salina warten. Wie jedes Jahr verbringen die Salina den Sommer in der frischen Luft ihres Landguts. Jetzt sind die Kutschen in Sichtweite, die Dorfleute versammeln sich, um ihre Herren zu begrüßen und die glückliche Ankunft mit einem Gottesdienst zu feiern. Vor der Kirche beginnt die örtliche Blaskapelle zu spielen und wiederholt ihr Stück so oft, bis sich die staubbedeckten Ankömmlinge zu einer Prozession formiert haben und die Kirche betreten. Nun übernimmt der Organist die musikalische Regie. Derweil hört man draußen die Banda weiterspielen, bis sich die Kirchentür schließt und der Gottesdienst beginnt.

Dass diese Szene aus Luchino Viscontis 1963 uraufgeführtem Film *Il gattopardo* (*Der Leopard*) der Erhabenheit des Augenblicks zum Trotz schmunzeln macht, liegt an der Musik und an der Art, wie sie dargeboten wird. Die braven Bauern in der Blaskapelle spielen mit Inbrunst und mehr falschen als richtigen Tönen »Noi siamo zingarelle« aus Giuseppe Verdis *La Traviata*, und von der kläglich verstimmten Orgel tönt Violettas verzweifeltes »Amami, Alfredo« aus derselben Oper in den Kirchenraum. Unpassender könnte eine für diesen Anlass ausgesuchte Musik kaum sein. Was hat ausgerechnet die Pariser Demi-Monde mit ihren Maskenbällen und Liebesleidenschaften in der kargen sizilianischen Bergwelt zu suchen?

Il gattopardo ist ein prächtiger und ein melancholischer Film. Er basiert auf dem kurz zuvor veröffentlichten gleichnamigen Roman von Giuseppe Tomasi di Lampedusa und spielt im Jahre 1860, als Giuseppe Garibaldi Sizilien eroberte und der Insel, die sich jahrhundertelang dem Einfluss des Festlandes widersetzt hatte, endgültig ihre politische Eigen-

Maria Callas als Violetta Valéry in der legendären Londoner Aufführung im Royal Opera House, Covent Garden 1958.

ständigkeit nahm; nur ein Jahr später ging das stolze Sizilien in dem neu entstandenen Nationalstaat Italien auf. Sehenden Auges, aber ohne die Kraft, sich dagegen aufzulehnen, erlebt Don Fabrizio, Fürst von Salina, den Untergang der alten, feudalen Gesellschaftsordnung und das Heraufziehen einer neuen, von Aufsteigertum und ökonomischem wie gesellschaftlichem Ehrgeiz geprägten Schicht – eine Entwicklung, die bis in seine eigene Familie hineinreichen wird. Denn auf dem Landgut verliebt sich sein Neffe Tancredi in Angelica, die schöne Tochter des Bürgermeisters von Donnafugata, eines raffgierigen Parvenüs mit schlechten Manieren, und macht sie mit Don Fabrizios Einverständnis, aber gegen den erklärten Willen der übrigen Familie zu seiner Gemahlin.

Mit keiner anderen Musik hätte Tomasi di Lampedusa, der in seinem Roman zwar die Textzeilen, nicht aber die Oper oder gar den Komponisten nennt, besser zum Ausdruck bringen können, dass die sizilianische Welt aus den Fugen war: Ein dekadenter Kurtisanenchor auf dem Dorfplatz, ein unschicklicher Liebesschwur in der Kirche, eine Oper, die alle Regeln des geltenden Geschmacks sprengte, indem sie eine nur wenige Jahre zuvor gestorbene Dame zweifelhaften Rufes zur positiven Heldin einer Tragödie machte – und das alles aus der Feder jenes Komponisten, dessen Name gar als Kryptogramm für die Einigung Italiens unter der Führung eines Piemontesers (VERDI = Vittorio Emanuele Re d'Italia) diente: Der Siegeszug von *La Traviata* bis in die entlegensten Winkel des Landes ließ keinen Zweifel daran, dass neue Zeiten angebrochen waren.

Verdis Leben und Werk im Spiegel seiner Zeit

Von Le Roncole nach Paris: Verdi macht Karriere

Der Siegeszug von *La Traviata* kam nicht von ungefähr. Bei ihrer Uraufführung 1853 durchgefallen, ein Jahr später mit grandiosem Erfolg in leicht veränderter Gestalt erneut aufgeführt, erlebte die Oper bis 1860 nahezu 200 Produktionen im In- und Ausland. Wie keine andere Oper traf sie den Nerv einer Gesellschaft, die im Umbruch war und sich zwischen Industrialisierung und Romantik, zwischen Adelsherrschaft und Bürgerlichkeit, zwischen männlicher Dominanz und weiblicher Selbstbestimmung, zwischen Ehrenkodex und Libertinage zurechtzufinden suchte – eine Welt, in der die politischen Karten nach dem Zusammenbruch des napoleonischen Reiches in Zeiten von Restauration und Revolution neu gemischt wurden. *La Traviata* spiegelt die gesellschaftlichen Entwicklungen und Verwerfungen des 19. Jahrhunderts in einer Weise wieder, dass diese Oper, fiktiv wie sie war, sogar autobiografisch gelesen werden konnte. Dabei lag Verdi nichts ferner, als seine eigene Existenz auf der Opernbühne zu reflektieren. Es ging ihm eher darum, mit seiner Musik zum emotionalen Kern einer Geschichte vorzudringen, die in dieser auf das Allgemeingültige zielenden Weise, nicht aber durch eindimensionale Verortung Aktualität gewann. Gleichwohl repräsentierte Verdi selbst wie kein anderer Komponist mit seiner klassischen Aufsteigerbiografie die alten Strukturen, aber auch die neuen Möglichkeiten, die dieses 19. Jahrhundert offerierte.

Giuseppe Verdi, das Kind aus ärmlichsten Verhältnissen, hatte das Glück, dass seine herausragende Begabung früh erkannt und gefördert wurde. Das war nicht selbstverständlich in einem Land, das von Kriegen erschüttert, von wechselnden Fremdherrschaften seit Jahrhunderten gepeinigt, von einem gesellschaftlich schier undurchlässigen feudalen System geprägt war und sozialen Aufstieg nur durch die Entscheidung für den geistlichen Stand ermöglichte. Unzählige begabte Kinder aus Familien der Unterschicht – darunter so berühmte wie der kaiserliche Hofdichter Pietro Metastasio – hatten diesen Weg gewählt, um sich ein Auskommen und einen Platz in der Gesellschaft zu sichern. Le Roncole, ein kleiner Flecken am Rande der Kleinstadt Busseto im Herzogtum Parma, war im Jahre 1813, als Verdi dort geboren wurde, nicht der Ort, der eine friedvolle Kindheit erwarten ließ. Die Kämpfe zwischen napoleonischen Truppen und den Habsburgern um das Herzogtum Parma tobten auch hier; erst der Wiener Kongress 1815 und die Übernahme Parmas durch Napoleons Gemahlin, die habsburgische Erzherzogin Marie Louise, sollten Stabilität über mehr als drei Jahrzehnte hinweg garantieren.

Eine geistliche Laufbahn hätte auch Verdi bevorstehen können. Der erste, der seine musikalische Begabung erkannte, war ein Priester des Ortes, und Verdi sollte in den kommenden Jahren seine frühen musikalischen Erfahrungen als Organist in der Kirche machen. Verdis Eltern nahmen die Herausforderung eines so außergewöhnlichen Kindes an, verzichteten auf seine Mitarbeit in ihrem eigenen Gewerbe, wie es üblich gewesen wäre, und engagierten sich in durchaus unüblicher Weise für seine weitere Ausbildung. Hätte Verdi sein Leben als Organist in den Kirchen seiner Heimat verbracht – schon dies hätte gegenüber seiner Herkunft einen sozialen Aufstieg bedeutet. Als seine Eltern ihm eine gehobene Schulbildung auf dem Gymnasium von Busseto ermöglichten, mögen sie zunächst etwas anderes im Sinn gehabt haben als eine Musikerlaufbahn. Busseto, die kleine, aber kulturell lebendige Stadt, bedeutete die entscheidende Weiche in Verdis Laufbahn; denn hier lernte er den wohlhabenden und musikliebenden Kaufmann Antonio

Giuseppe Verdi auf einem Foto aus der Zeit um 1853, gekleidet und frisiert in einer Weise, die er sein ganzes Leben nahezu unverändert beibehalten sollte.

Barezzi kennen, der zu seinem wichtigsten Förderer und schließlich sogar zu seinem Schwiegervater wurde.

Mit einem Stipendium der Herzogin Marie Louise gelangte Verdi 1832, mit 19 Jahren, nach Mailand, eine der bedeutendsten Musikmetropolen Italiens und die Stadt, in der seine Karriere als Opernkomponist nach einem eher stolpernden Beginn zu einem Triumph werden sollte. Zwar kehrte er danach zunächst nach Busseto zurück, heiratete Margherita, die Tochter Barezzis, bekam zwei Kinder und schien als Musikdirektor der Stadt im bürgerlichen Milieu Bussetos angekommen zu sein. Doch es zog ihn zurück nach Mailand und zur Oper; und auch wenn die ersten Jahre dort die Zeit der schlimmsten Schicksalsschläge werden sollten, weil beide Kinder und seine Frau im Abstand von nicht einmal zwei Jahren starben, so hielt diese Stadt doch auch all jene intellektuellen und kulturellen Anregungen für ihn bereit, ohne die er nicht mehr auskommen mochte.

Der überwältigende Erfolg von *Nabucodonosor* (*Nabucco*) im Jahre 1842 wurde zu einem Wendepunkt in Verdis Biografie – nicht nur, weil diese Oper den internationalen Durchbruch bedeutete, sondern auch, weil Verdi in der Darstellerin der Abigaille, der Primadonna Giuseppina Strepponi, jene Frau traf, die seinen Lebensweg bis zu ihrem Tod im Jahre 1897 begleiten sollte. Geboren 1815, hatte sie mit ihren 27 Jahren bereits ein bewegtes Leben und eine große Karriere hinter sich. Sie hatte sich mit Partien von Rossini, Bellini und Donizetti einen Namen gemacht, daneben drei uneheliche Kinder von verschiedenen Männern geboren und fortgegeben. Zwei Jahre nach *Nabucco* hob sie auch die weibliche Hauptrolle von Verdis Oper *Ernani* in Venedig aus der Taufe. Bald danach musste sie ihre Karriere als Sängerin aber wegen stimmlicher Probleme beenden; sie ließ sich in Paris nieder und eröffnete dort eine Gesangsschule. Als Verdi 1847 nach Paris kam, um dort seine Oper *I lombardi alla prima crociata* zu *Jérusalem* umzuarbeiten, wurden die beiden ein Paar und bezogen eine gemeinsame Wohnung; erst zwölf Jahre später sollten sie in aller Stille heiraten und somit legalisieren, was zu diesem Zeitpunkt schon Normalität geworden war.

Was aber in Paris kaum jemanden interessierte, erregte in Busseto großes Aufsehen. Als Verdi 1848 gemeinsam mit Giuseppina in der Nähe von Busseto das Landgut Sant'Agata erwarb, um sich irgendwann dort niederzulassen, war das Getuschel groß, und Antonio Barezzi, Verdis Schwiegervater, fühlte sich bemüßigt, seinen ehemaligen Schützling darauf hinzuweisen. Nicht minder groß war freilich Verdis Empörung über diese Einmischung in seine privaten Angelegenheiten. Von Paris

Verdis Brief an seinen Schwiegervater Antonio Barezzi

»In meinem Hause wohnt eine Dame, frei, unabhängig und wie ich die Einsamkeit liebend, mit einem Vermögen, das alle ihre Bedürfnisse abdeckt. Weder ich noch sie müssen wem auch immer Rechenschaft über unser Tun ablegen. Und andererseits – wer weiß denn, in welcher Beziehung wir zueinander stehen? Welche Geschäfte wir miteinander haben? Welche Bindungen? Welche Rechte ich an ihr habe und sie an mir? Wer weiß, ob sie meine Frau ist oder nicht? Und, in diesem Falle, welches die besonderen Gründe sind, welches die Überlegungen, warum wir dies nicht öffentlich machen wollen? Wer weiß, ob das gut ist oder schlecht? Warum könnte das nicht auch sein Gutes haben? Und selbst wenn es schlecht wäre, wer hätte das Recht, einen Bannfluch gegen uns zu schleudern? Ich sage sogar, dass ich in meinem Hause ihr gegenüber den gleichen, nein, sogar größeren Respekt erwarte als man ihn mir entgegenzubringen hat, und dass niemand, aus welchem Grund auch immer, es daran fehlen lassen darf.«

aus schrieb er Barezzi im Januar 1852 einen Brief, der vor allem deshalb Berühmtheit erlang hat, weil Verdi hier seine Beziehung zu Giuseppina öffentlich macht und gleichzeitig das Recht fordert, ein Leben außerhalb der gängigen Moralvorstellungen zu führen.

Der Zufall will es, dass die ersten Jahre der Beziehung mit Giuseppina Strepponi zeitlich mit der Veröffentlichung von Dumas' Roman *La Dame aux camélias*, der Umarbeitung dieses Bestsellers erst zu einem Schauspiel, dann zu dem Libretto für Verdis *La Traviata* zusammenfallen. Diese Koinzidenz blieb nicht unbemerkt und verleitete Alessandro Luzio, den Journalisten und Herausgeber von Verdis Briefen, 1935 dazu, in *La Traviata* einen autobiografischen Bezug zu erkennen – demnach wäre Violetta Valéry ein Portrait Giuseppina Strepponis, Verdi selbst Alfredo und Antonio Barezzi Alfredos Vater Germont. Diese Behauptung entbehrt jedoch jeder Grundlage. Niemals hätte Verdi, der in seinem Brief ja gerade auf Giuseppinas Ehrbarkeit bestand, zugelassen, sie mit einer Kurtisane zu vergleichen, die ihren Körper für Geld verkaufte. Ob aber die Beziehung zu Giuseppina ein Nachdenken über die Rolle der Frau in der Gesellschaft bewirkte, ob seine Überzeugungen hinsichtlich eines weiblichen Anspruchs auf Selbstbestimmung den Boden für eine derart unkonventionelle Beziehung mit einer unverheirateten Frau bereiteten, oder ob das eine mit dem anderen überhaupt nichts zu tun hat, lässt sich nicht sagen. Es gibt in Verdis Briefen keinen Beleg für irgendeine Bezugnahme der Oper auf sein eigenes Leben.

Und es gibt in der zeitgenössischen Rezeption auch nicht den leisesten Gedanken an einen möglichen Zusammenhang zwischen Leben und Werk. 1859, nur sechs Jahre nach der Uraufführung der Oper, veröffentlichte der Florentiner Arzt und Musikschriftsteller Abramo Basevi die erste Werkmonografie über den Komponisten, die mit *Nabucco* begann und mit *Aroldo* (vorläufig) endete. Seinen erstaunlich luziden Bemerkungen zur Musik von *La Traviata*, die bis heute wenig von ihrer Gültigkeit verloren haben, meinte Basevi einige allgemeine Bemerkungen vorausschicken zu müssen. »Die Handlung dieser Oper bringt mich dazu, einige Überlegungen zur Unmoral der gegenwärtigen Literatur anzustellen« – so beginnt das Kapitel über *La Traviata*. Basevi machte die Franzosen für den moralischen Verfall verantwortlich und leitete Dumas' Roman in einer langen Reihe von französischen Gesellschaftswissenschaftlern wie Henri de Saint Simon und Charles Fourier her. Sorgen machte Basevi auch, dass *La Traviata* besonders vom weiblichen Teil des Publikums bevorzugt würde. »Deshalb soll man [das schöne Geschlecht] nicht anklagen, weniger als ehrenhafte Gefühle zu nähren, sondern auf die Gefahren derartiger Schauspiele hinweisen, weil sie Gift in die Seele träufeln, ohne dass man es bemerkt, oder erst dann, wenn es sich unserer bemächtigt hat. Die Künstler haben eine Aufgabe, die in gewisser Weise der des Priesters ähnelt, der nicht nur Bewahrer, sondern Vervollkommner und Verkünder der öffentlichen Moral zu sein hat.« Es ist nicht überliefert, was Verdi wohl zu dieser Erwartung an ihn gesagt haben mag.

Das Politische und das Private: Höhepunkte in Verdis Schaffen

Zum Zeitpunkt der Entstehung von *La Traviata* war Verdi bereits eine europäische Berühmtheit. Rastlos hatte er seit dem Erfolg von *Nabucco* Oper um Oper geschrieben, einstudiert, dirigiert und bisweilen sogar Regie geführt. Er hatte die Metropolen des Kontinents bereist, aus Paris und sogar aus London Aufträge erhalten. Und er hatte sich zu einer Symbolfigur der »Risorgimento« genannten italienischen Einigungsbestrebungen entwickelt, zunächst durch »Va, pensiero, sull'ali dorate«, den berühmten Gefangenenchor aus *Nabucco*, der in Italien als eine Metapher für die eigene politische Situation verstanden und in seiner hymnusartigen Eingängigkeit leicht memoriert und überall gesungen werden konnte. Vor allem mit seiner Oper *La battaglia di Legnano* (1849) aber schrieb sich Verdi in das kollektive Gedächtnis des Risorgimento ein – eine Oper über jene Schlacht, in der sich im Jahre 1176 Kaiser Barbarossa den lombardischen Städten hatte

Eines der zahllosen Arrangements der »Traviata«-Partitur für Klavier zum häuslichen Gebrauch (um 1900).

geschlagen geben müssen. »Legnano« wurde zur Parole des Risorgimento, und in Verdis Oper mischte sich historische Erzählung mit aktuellen Bezugnahmen. Dass diese patriotische Oper in Rom nur wenige Tage vor der Proklamation einer wenn auch kurzlebigen Republik in der Papststadt uraufgeführt wurde und die revoltierenden Römer in einen Begeisterungstaumel versetzte, mag ein historischer Zufall sein; er trug aber wesentlich zu dem Bild Verdis als Komponist am Puls der Zeit bei.

Es wäre Verdi ein Leichtes gewesen, auf dieser patriotischen Erfolgswelle weiter zu schwimmen. Doch er machte eine radikale Kehrtwende und wandte sich Stoffen zu, die zwar nicht ohne gesellschaftspolitische Brisanz waren, den patriotischen Aspekt jedoch nicht weiter verfolgten. Mit *Luisa Miller* (1849), einer Umarbeitung von Friedrich Schillers *Kabale und Liebe*, und mit *Stiffelio* (1850), einer Ehebruchsgeschichte im bürgerlich-protestantischen Milieu Deutschlands, widmete sich Verdi den privaten eher als den öffentlichen Konflikten. Dieses neue, auf zeitgenössische Sujets gerichtete Interesse gipfelte dann in *La Traviata*, einem nicht nur aktuellen, sondern auch noch »unmoralischen« Stoff.

La Traviata ist der Höhepunkt jener »trilogia popolare« genannten Serie dreier Opern, die kurz hintereinander entstanden und eine neue Konzeption des musikalischen Dramas in Verdis Schaffen bedeuteten. Mit *Rigoletto* (März 1851), *Il Trovatore* (Januar 1853) und *La Traviata* (März 1853) betrat Verdi inhaltlich wie musikalisch Neuland. Er selbst hatte Anfang Januar 1853, mitten in den Arbeiten für *Il Trovatore* und wohl auch schon in Gedanken an *La Traviata*, in einem Brief geschrieben: »Ich wünsche mir neue Sujets, großartig, schön, abwechslungsreich, gewagt – gewagt bis an die Grenzen, mit neuen Formen und gleichzeitig komponierbar!« Ein buckliger Hofnarr und seine Tochter wie in *Rigoletto*, eine Zigeunerin und ihr Sohn wie in *Il Trovatore*, eine Kurtisane und ihr Liebhaber wie in *La Traviata* – das hatte es im Opernrepertoire der Zeit, das die Bühnen ansonsten mit Herrschern und hochgestellten Personen bevölkerte, tatsächlich noch nicht gegeben, und die Art, wie Verdi in diesen drei Opern die musikalischen Formen an die dramatische Entwicklung anpasste und nicht mehr umgekehrt, bedeutete einen wichtigen Schritt hin zu einem musikalischen Realismus.

Reiche Ernte: Die Vermarktung der »Traviata«

Mit *La Traviata* endete auch die gedrängte Serie von Neukompositionen – in den elf Jahren zwischen *Nabucco* und *La Traviata* komponierte Verdi nicht weniger als siebzehn Opern. Danach ließ er es etwas ruhiger angehen; in den vierzig Jahren seiner zweiten Lebenshälfte, bis zu seiner letzten Oper *Falstaff* (1893), entstanden nur noch neun weitere Opern. Die größte Lücke klafft dabei zwischen *Aida* (1871) und *Otello* (1887). Verdi hatte es nicht mehr nötig, sich beim Komponieren von immer neuen Opern wie ein Galeerensklave zu fühlen, um so seinen Lebensunterhalt zu verdienen. Dass er ein reicher Mann geworden war, verdankte er auch seinem kompromisslosen Kampf für das Urheberrecht. Er war berühmt genug, um Theatern und Verlagshäusern seine Bedingungen diktieren zu können, und er führte zahlreiche Prozesse um seine Rechte als Autor.

Das Sammelbild aus der Werbung für »Liebig's Fleisch-Extract« dokumentiert die Popularität von Verdis Oper um 1900.

La Traviata spielt in dieser Geschichte des Urheberrechts eine wichtige Rolle. Keine andere Oper ist so häufig wiederaufgeführt und bearbeitet worden. Und bei keiner anderen zeigt sich die für beide Seiten gewinnbringende Aufteilung zwischen Urheber und Verwerter so deutlich. Bereits im Mai 1852 hatte Verdi mit dem Teatro La Fenice in Venedig einen Vertrag für die Eröffnungsoper der Karnevalssaison 1853 unterschrieben. Die Theaterdirektoren erhofften sich eine Wiederholung des grandiosen Erfolgs von *Rigoletto* im März 1851. Bevor sich Verdi auf die Suche nach einem geeigneten Stoff machte, widmete er sich freilich einem anderen Projekt: der Komposition von *Il Trovatore*, die im Januar 1853, nur zwei Monate vor *La Traviata*, in Rom eine triumphale Uraufführung erleben sollte. Erst im Oktober 1852 entschloss er sich, Dumas' Schauspiel zu einer Oper umzuarbeiten. Und obwohl diese noch nicht einmal einen Titel trug, gab Verdis Verleger Tito Ricordi schon im Dezember 1852 seine umfassenden Rechte an dieser neuen Oper bekannt. In der *Gazzetta musicale di Milano* reklamierte er das alleinige und für alle Länder geltende Eigentum an den Aufführungspartituren, den gedruckten Klavierauszügen sowie allen Bearbeitungen wie zum Beispiel Fantasien oder Potpourris für seinen Verlag.

An all diesen Zweitverwertungen war Verdi finanziell ebenso beteiligt wie an den Aufführungen in den Opernhäusern. Seinen Reichtum steckte er nicht nur in diverse Stadtwohnungen, sondern vor allem in seinen Landbesitz; bis in seine späten Jahre hinein kaufte er in seiner Heimat immer mehr Land und machte Sant'Agata zu einem Gut von latifundienhafter Ausdehnung. Seine unternehmerische Begabung erstreckte sich zunehmend auch auf die Landwirtschaft; mit Wonne vermarktete er nun nicht nur seine Opern, sondern auch die auf seinen Gütern produzierten Fleischwaren. Nachdem er 1861 zum Deputierten im neugegründeten italienischen Parlament gewählt worden war, erlahmte sein Interesse an der Politik in dem Maße, in dem er tatsächliche Gestaltungsmöglichkeiten vermisste. Stattdessen widmete er sich im Alter neben der Landwirtschaft zunehmend der Pflege seiner Gesundheit auf Badekuren und dem Bau eines Altersheims für Musiker, der »Casa di riposo« in Mailand. Mehr und mehr zog er sich aus der Welt, die er selbst ein gutes halbes Jahrhundert lang mitgeprägt hatte, zurück. Die politischen Ereignisse gingen an Sant'Agata vorbei, und Verdi verweigerte sich immer wieder jeglicher Vereinnahmung durch die italienische Öffentlichkeit.

Ende 1897 starb Giuseppina, und im Januar 1901, mit 87 Jahren, Verdi selbst. Vier Wochen nach seiner Beisetzung auf dem Mailänder Friedhof wurde seinem Wunsch entsprochen, in der »Casa di riposo« seine letzte Ruhestätte zu finden. Die Särge des Ehepaars Verdi wurden exhumiert und in der Kapelle der »Casa di riposo« zu den Klängen des »Miserere« aus *Il Trovatore* beigesetzt. Beim Verlassen des Friedhofs sangen mehr als 800 Sänger unter Leitung von Arturo Toscanini »Va, pensiero, sull'ali dorate« aus *Nabucco*, das inzwischen zu so etwas wie einer heimlichen Nationalhymne geworden war. Toscanini, der als junger

»La Traviata« für den häuslichen Gebrauch

Schon bald nach der erfolgreichen zweiten Aufführung 1854 setzte die Vermarktung von *La Traviata* mit Macht ein. 1856 erschien eine Bearbeitung für Klarinette und Klavier, die fast alle Nummern der Oper umfasste. Bis 1906 wuchs die Liste der *Traviata*-Angebote im Ricordi-Katalog auf stolze 434 Titel an – darunter Bearbeitungen für Streichquartett, für Flöte und Gitarre, für Klavier solo oder mit einem Melodieinstrument, für Harfe, für Trompete oder gar für Harmonium – für alle Musiker mithin, die sich im häuslichen Umfeld damit beschäftigen wollten. Jede höhere Tochter, die ein wenig Klavier spielte, konnte zu Hause Violettas Liebesschwüre nachsingen und sich selbst dabei am Klavier begleiten. Beliebt waren derartige Bearbeitungen auch für den Instrumentalunterricht – davon zeugen zahlreiche Titel wie *La gioia degli alunni* (*Die Freude der Schüler*) oder *Parterre musical* (*Musikalisches Blumenbeet*). Und für die Blaskapelle auf dem Dorfplatz – in Zeiten vor der Erfindung des Radios die einzige Möglichkeit, fern der musikalischen Zentren etwas anderes zu hören als die Orgelmusik in der Kirche – standen ebenfalls Arrangements bereit. Die wackeren Bauern von Donnafugata befanden sich durchaus auf der Höhe der Zeit.

Cellist bei der Uraufführung von *Otello* (1887) mitgewirkt hatte, sollte ein halbes Jahrhundert lang zum leidenschaftlichsten Sachwalter Verdis in der ganzen Welt, namentlich in den USA werden. Seine *Traviata*-Interpretation aus dem Jahre 1946, im Alter von 79 Jahren, ist bis heute vorbildlich (siehe S. 111 f.).

Auch im 20. Jahrhundert wurde Verdi zum Nationalhelden stilisiert; seine Musik gehört bis heute zum kollektiven kulturellen Besitztum Italiens und der ganzen Welt. Niemand musste 1963, dem Jahr der Uraufführung von *Il gattopardo*, erläutern, woher die Musik stammte, die da auf dem Dorfplatz und in der Kirche von Donnafugata erklang. Wie sehr der Schankwirtssohn aus Le Roncole, der zum Großgrundbesitzer aufstieg, nicht nur die Oper seiner Zeit, sondern eine ganze Epoche geprägt hat, welche Zäsur sein Tod in der kulturellen Identität Italiens bedeutete, wird sichtbar, wenn Bernardo Bertolucci sein 1976 uraufgeführtes Filmepos *1900*, das die Geschichte Italiens in der ersten Hälfte des 20. Jahrhunderts anhand des Schicksals zweier am selben Tag und am selben Ort zu Beginn des Jahres 1901 geborener Knaben erzählt, mit den Worten »Verdi è morto! Verdi è morto! Verdi è morto!« beginnt.

Jahr	Historische Daten	Biografische und werkspezifische Daten
1813	Mit *Tancredi* und *L'italiana in Algeri* erlebt Gioacchino Rossini seine ersten großen Opernerfolge; Geburt von Richard Wagner	9. oder 10. Oktober: Giuseppe Fortunino Francesco Verdi wird als Sohn des Gastwirts, Lebensmittelhändlers und Kleinbauern Carlo Verdi und seiner Ehefrau Luigia Uttini in Le Roncole nahe Parma geboren und am 11. Oktober getauft
1815	Auf dem Wiener Kongress wird der Norden Italiens erneut den Habsburgern und der Süden den Bourbonen unterstellt; Marie Louise von Habsburg, die Gemahlin Napoleons I., wird Herzogin von Parma	8. September: Giuseppina Strepponi, Verdis spätere Lebensgefährtin und Ehefrau, wird in Lodi geboren
1818	Am Heiligen Abend erklingt das von Joseph Mohr (Text) und Franz Xaver Gruber (Musik) verfasste Weihnachtslied *Stille Nacht, heilige Nacht* in der Kirche S. Nikola in Oberndorf bei Salzburg zum ersten Mal	Beim Organisten der Pfarrei Roncole erhält der fünfjährige Verdi ersten Musikunterricht
1827	Mit *I promessi sposi* (*Die Verlobten*) legt Alessandro Manzoni den ersten modernen Roman in italienischer Sprache vor; dieser begründet Manzonis Ruf als italienischer Nationaldichter	
1829	3. August: Rossinis letzte Oper *Guillaume Tell* wird in Paris uraufgeführt	Verdi bewirbt sich 16-jährig ohne Erfolg um die Organistenstelle an San Giacomo in Soragna
1831	Giuseppe Mazzini gründet in Marseille die Vereinigung »Giovane Italia« (Junges Italien), die sich die Schaffung eines geeinten Italien als Republik zum Ziel setzt	Antonio Barezzi, wohlhabender Kaufmann und Mäzen in Busseto, nimmt Verdi in sein Haus auf
1832	Nach der Uraufführung wird Victor Hugos Drama *Le Roi s'amuse* wegen vermeintlich kritischer Anspielungen auf den französischen König Louis-Philippe von der Zensur verboten	Barezzi verwendet sich bei Maria Luigia, der Herzogin von Parma, für Verdi; mit einem von ihr gewährten Stipendium geht er nach Mailand, erfüllt aber die Aufnahmekriterien für das Konservatorium nicht und nimmt stattdessen privaten Unterricht bei Vincenzo Lavigna
1834	Im Schweizer Exil gründet Mazzini nach dem Vorbild von »Giovane Italia« die Vereinigung »Giovane Europa«, die das Ideal von Nationalstaatlichkeit und Demokratie für ganz Europa fordert	Verdi leitet eine Aufführung von Joseph Haydns *Schöpfung* in Mailand

Jahr	Historische Daten	Biografische und werkspezifische Daten
1836		In Busseto heiratet Verdi Margherita Barezzi, die Tochter seines Gönners
1837	Mit der Thronbesteigung der 18-jährigen Queen Victoria von England beginnt das 63 Jahre währende Viktorianische Zeitalter	26. März: Geburt der Tochter Virginia
1838	Der erste Teil von Honoré de Balzacs *Glanz und Elend der Kurtisanen* erscheint	11. Juli: Geburt des Sohnes Icilio Romano; 12. August: Virginia stirbt
1839	Mit der Präsentation des »Daguerrotypie« genannten Verfahrens bei der Pariser Akademie der Wissenschaften beginnt die Geschichte der Fotografie	Verdi übersiedelt mit seiner Familie nach Mailand; 22. Oktober: Icilio Romano stirbt; 17. November: Verdis Debüt als Opernkomponist mit *Oberto* an der Mailänder Scala wird ein großer Erfolg
1840	Alessandro Manzoni veröffentlicht die definitive Fassung der *Promessi sposi*	18. Juni: Margherita Barezzi Verdi stirbt; 5. September: Verdis komische Oper *Un giorno di regno* fällt bei der Uraufführung an der Mailänder Scala beim Publikum durch
1842	Mit der Uraufführung von *Rienzi* in Dresden feiert Richard Wagner seinen ersten großen Erfolg	9. März: *Nabucco*, an der Mailänder Scala uraufgeführt, markiert Verdis Durchbruch zum Opernkomponisten der ersten Reihe; die Rolle der Abigaille singt Giuseppina Strepponi
1843	Uraufführung von Richard Wagners *Der fliegende Holländer* in Dresden	11. Februar: Uraufführung von *I lombardi alla prima crociata* in Mailand
1844		9. März: Uraufführung von *Ernani* in Venedig; 3. November: Uraufführung von *I due Foscari* in Rom
1845	In Irland bricht, hervorgerufen durch die Kartoffelfäule, die fünf Jahre währende Große Hungersnot (»Great Famine«) aus, die rund eine Million Iren das Leben kostet und noch mehr zur Auswanderung in die USA, nach Kanada und Australien zwingt	15. Februar: Uraufführung von *Giovanna d'Arco* in Mailand; 12. August: Uraufführung von *Alzira* in Neapel
1846	Pius IX. wird zum Papst gewählt; sein Pontifikat ist mit mehr als 31 Jahren das längste in der Geschichte der römisch-katholischen Kirche	17. März: Uraufführung von *Attila* in Venedig

Jahr	Historische Daten	Biografische und werkspezifische Daten
1847	Camillo Benso Conte di Cavour begründet in Turin die Zeitschrift *Il risorgimento*, die der Epoche der Einigungsbestrebungen Italiens ihren Namen geben wird; Goffredo Mameli (Text) und Michele Novara (Musik) verfassen *Fratelli d'Italia*, das zum Kampflied des Risorgimento wird und heute die italienische Nationalhymne ist	14. März: Uraufführung von *Macbeth* in Florenz; 22. Juli: Uraufführung von *I masnadieri* in London; 26. November: Uraufführung von *Jérusalem* (eine Umarbeitung von *I lombardi alla prima crociata*) in Paris; bis 1849 lebt Verdi in Paris; hier beginnt die lebenslange Beziehung mit Giuseppina Strepponi
1848	Die europaweiten Revolutionen dieses Jahres beginnen im Januar mit Aufständen in Sizilien und in Mailand; die Februarrevolution in Paris beendet die Herrschaft König Louis-Philippes I.; Alexandre Dumas d. J. veröffentlicht den Roman *La Dame aux camélias*, in dem er seine Erlebnisse mit der Pariser Kurtisane Marie Duplessis verarbeitet	Verdi kauft das Landgut Sant'Agata bei Busseto, das er bis zu seinem Lebensende durch weitere Landkäufe immer weiter vergrößern wird; 25. Oktober: Uraufführung von *Il corsaro* in Triest
1849	9. Februar: Nach der Vertreibung des Papstes wird die Römische Republik ausgerufen; sie wird am 3. Juli durch eine militärische Intervention beendet und der Papst in seine Rechte wieder eingesetzt	27. Januar: Uraufführung von *La battaglia di Legnano* in Rom; 8. Dezember: Uraufführung von *Luisa Miller* in Neapel
1850	Uraufführung von Richard Wagners *Lohengrin* in Weimar unter Leitung von Franz Liszt	16. November: Uraufführung von *Stiffelio* in Triest
1851	In London findet die erste Weltausstellung statt	11. März: Uraufführung von *Rigoletto* in Venedig; Verdi lässt sich mit Giuseppina Strepponi in Sant'Agata nieder
1852	Alexandre Dumas d. J. arbeitet *La Dame aux camélias* zu einem Drama um, das mit großem Erfolg in Paris gespielt wird	In einem Brief an seinen Schwiegervater Barezzi verwahrt sich Verdi gegen die Einmischung in sein Privatleben und seine Beziehung zu Giuseppina Strepponi
1853	Richard Wagner vollendet das Textbuch zu *Der Ring des Nibelungen*	19. Januar: Uraufführung von *Il Trovatore* in Rom; 6. März: Uraufführung von *La Traviata* in Venedig
1854	Papst Pius IX. verkündet das Dogma von der Unbefleckten Empfängnis Marias	Deutschsprachige Erstaufführung von *Attila* in Stuttgart
1855	Weltausstellung in Paris; Alexandre Dumas d. J. veröffentlicht seine Komödie *Le Demi-monde*, die das Bild von der Pariser Halbwelt nachhaltig prägt	13. Juni: Uraufführung von *Les vêpres siciliennes* in Paris

Jahr	Historische Daten	Biografische und werkspezifische Daten
1857	Gustave Flaubert wird von der Anklage freigesprochen, in seinem Roman *Madame Bovary* die guten Sitten verletzt und den Ehebruch verherrlicht zu haben	12. März: Die Uraufführung von *Simon Boccanegra* in Venedig ist ein großer Misserfolg
1859	Die Schlacht von Solferino, bei der Zehntausende Soldaten ihr Leben lassen müssen und weitere Zehntausende verwundet werden, ist ein Meilenstein nicht nur in der Geschichte des italienischen Einigungsprozesses, sondern auch der Grausamkeiten konventioneller Kriegsführung	17. Februar: Uraufführung von *Un ballo in maschera* in Rom; 28. Mai: Verdi heiratet Giuseppina Strepponi in aller Stille
1860	Giuseppe Garibaldi erobert mit mehr als tausend Freischärlern Sizilien (»Spedizione dei Mille«)	Sant'Agata wird zu einem komfortablen Wohnhaus vergrößert
1861	Vittorio Emanuele II. von Piemont-Sardinien wird in Turin zum König des geeinten Italien ausgerufen, dem lediglich Venetien und der Kirchenstaat noch nicht angehören	Verdi nimmt als Deputierter an der konstituierenden Sitzung des italienischen Parlaments in Turin teil
1862	Weltausstellung in London	10. November: Uraufführung von *La forza del destino* in St. Petersburg unter Verdis Leitung; für die Weltausstellung komponiert Verdi die ebenso pazifistische wie patriotische Kantate *Inno delle nazioni,* in der die englische, französische und italienische Nationalhymne verarbeitet sind
1863	Aufgrund seiner Erlebnisse in der Schlacht bei Solferino (1859) gründet der Schweizer Henri Dunant das »Internationale Komitee der Hilfsgesellschaften für Verwundetenpflege«, das 1876 in »Internationales Rotes Kreuz« umbenannt wird	Spanische Erstaufführung von *La forza del destino* in Madrid unter Verdis Leitung
1865	Die Darstellung einer nackten Kurtisane in Édouard Manets *Olympia* betiteltem Gemälde löst beim Salon de Paris einen der größten Skandale der Ausstellungsgeschichte aus	Verdi verzichtet auf sein Mandat als Abgeordneter im italienischen Parlament
1866	Durch ein Plebiszit schließt sich Venetien dem Königreich Italien an, nachdem Österreich es an Frankreich abgetreten hatte	Verdi und seine Frau mieten eine Wohnung in Genua, die für mehrere Jahre zu einer zweiten Heimat neben Sant'Agata wird

Jahr	Historische Daten	Biografische und werkspezifische Daten
1867	Karl Marx veröffentlicht *Das Kapital*	11. März: Uraufführung von *Don Carlos* in Paris in französischer Sprache; weitere Aufführungen in italienischer Sprache in London und Bologna; das Ehepaar Verdi nimmt die 7-jährige Filomena Maria Cristina aus der Familie eines Verwandten von Verdi an Kindes Statt in ihr Haus auf; sie wird später Verdis Universalerbin
1868	Am 13. November stirbt Gioacchino Rossini in Paris	30. Juni: Verdi und Manzoni treffen in Mailand zusammen; es wird ihre einzige Begegnung bleiben
1870	18. Juli: Papst Pius IX. verkündet auf dem Ersten Vatikanischen Konzil das Dogma von der päpstlichen Unfehlbarkeit; 20. September: Rom wird von den italienischen Truppen erobert; damit ist die Einheit Italiens als Nationalstaat vollzogen	Arbeit an *Aida*
1871	Rom wird Hauptstadt Italiens; in Bologna findet die italienische Erstaufführung von Richard Wagners *Lohengrin* in Anwesenheit Verdis statt	24. Dezember: Uraufführung von *Aida* mit Teresa Stolz in der Titelrolle in Kairo; Gerüchte um eine Liebesbeziehung zwischen Verdi und Teresa Stolz provozieren eine Ehekrise im Hause Verdis
1872	Italienische Erstaufführung von Richard Wagners *Tannhäuser* in Bologna	Europäische Erstaufführung von *Aida* in Mailand
1873	22. Mai: Alessandro Manzoni stirbt in Mailand	Verdi komponiert sein Streichquartett e-Moll
1874	Uraufführung von Johann Strauß' *Die Fledermaus* in Wien	22. Mai: Zum Todestag Alessandro Manzonis wird Verdis *Requiem* uraufgeführt und im selben Jahr noch in Paris gespielt
1875	Uraufführung von Georges Bizets *Carmen* in Paris	Verdi dirigiert zahlreiche Aufführungen seines *Requiem* in Paris, London, Wien und Köln
1878	Tod von Vittorio Emanuele II.; Umberto I. wird König von Italien; Tod von Papst Pius IX.	Filomena Maria Cristina Verdi heiratet Alberto Carrara, den Sohn von Verdis Rechtsanwalt
1881	Der Florentiner Schriftsteller Carlo Collodi erfindet Pinocchio, die Holzpuppe, der bei jeder Lüge die Nase lang wird	Die Neufassung von *Simon Boccanegra* wird in Mailand uraufgeführt
1883	13. Februar: Richard Wagner stirbt in Venedig	

Jahr	Historische Daten	Biografische und werkspezifische Daten
1887	Emil Berliner meldet seine Erfindungen, das Grammofon und die Schallplatte, zum Patent an	5. Februar: Uraufführung von *Otello* in Mailand
1889	Der Koch Rafaele Esposito ehrt die italienische Königin Margherita von Savoyen, indem er die mit Tomaten, Mozzarella und Basilikum in den Nationalfarben belegte Pizza »Margherita« tauft	Verdi schließt einen Vertrag mit dem Architekten Camillo Boito über den Bau eines Altersheims für Musiker (»Casa di riposo«) und kauft hierfür ein Grundstück in Mailand
1893	George Bernard Shaw vollendet sein Drama *Frau Warrens Gewerbe*, das wegen der Darstellung von Prostitution von der Zensur in England verboten und erst 1902 uraufgeführt wird	9. Februar: Uraufführung von *Falstaff* in Mailand
1897	Guglielmo Marconi gründet in England das Unternehmen Wireless Telegraph Company und wird damit zu einem Wegbereiter der drahtlosen Telegrafie und des Rundfunks	14. November: Giuseppina stirbt in Sant'Agata im Alter von 82 Jahren, sie wird auf dem Mailänder Zentralfriedhof beigesetzt
1898	Kaiserin Elisabeth (Sissi) wird in Genf von einem italienischen Anarchisten ermordet	Veröffentlichung der *Quattro pezzi sacri* in Mailand; *Stabat Mater*, *Laudi alla vergine Maria* und *Te Deum* werden als *Tre pezzi sacri* in Paris uraufgeführt
1901	22. Januar: Queen Victoria von England stirbt im Alter von 81 Jahren	27. Januar: Verdi stirbt im Alter von 87 Jahren in Mailand

Entstehung und Sujet

Alphonsine – Marie – Marguerite – Margherita – Violetta: Ein Lebens-Wandel

La Traviata – wörtlich übersetzt: die vom Wege Abgekommene – ist in vielerlei Hinsicht ein bemerkenswerter Operntitel. Er zitiert den Refrain aus der Arie »Addio, del passato bei sogni ridenti«, mit der Violetta sich im 3. Akt auf ihrem Sterbebett voller Wehmut, Bedauern und Reue aus diesem Leben verabschiedet:

Ah, della traviata sorridi al desio,	Ach, lächle zu dem Sehnen der vom Wege Abgekommenen,
a lei, deh, perdona, tu accoglila, o Dio,	vergib ihr, ach, nimm sie zu dir, o Gott,
or tutto finì.	jetzt ist alles zu Ende.

Was mag Verdi bewogen haben, seiner Oper statt eines Namens wie *Macbeth* oder *Rigoletto* einen kommentierenden Titel zu geben, wie man ihn eher aus der komischen Oper gewohnt war? Fast könnte man meinen, in der zum Namen geronnenen Verbform »Traviata« einen Reflex auf solche moralisierenden Titel wie den Originaltitel von Mozarts *Don Giovanni – Il dissoluto punito* (wörtlich übersetzt: der bestrafte Zügellose) – zu vernehmen. Ursprünglich hatte Verdi geplant, die Oper *Amore e morte* (*Liebe und Tod*) zu nennen. Vielleicht aber erschien ihm dieser Titel allzu unspezifisch; von Liebe und Tod handeln nun einmal fast alle Opern des 19. Jahrhunderts. *La Traviata* dagegen weckte in seiner Ambivalenz deutlich mehr Neugier, versprach er doch einerseits einen voyeuristischen Blick auf ein unmoralisches Leben und distanzierte sich andererseits mit moralischer Attitüde von der skandalösen Welt, in der die Handlung spielte. Mit der Wahl des Titels wie auch mit dem Namen seiner Protagonistin, Violetta Valéry, vermied Verdi darüber hinaus eine allzu direkte Bezugnahme der Oper auf ihre literarische Quelle oder gar auf das historische Vorbild für jene Kameliendame, der Alexandre Dumas der Jüngere mit seinem Roman *La Dame aux camélias* wenige Jahre zuvor ein Denkmal gesetzt hatte.

Von wenigen Ausnahmen abgesehen basieren nahezu alle Opernstoffe auf literarischen oder historischen Vorbildern, oft auch auf historischen Personen und Ereignissen, die später Eingang in die Literatur gefunden hatten. Verdis Vorliebe für William Shakespeare und Friedrich Schiller hatte Opern wie *Macbeth* (1847) oder *I masnadieri* (1847) hervorgebracht; *La battaglia di Legnano* (1849) behandelte ein historisches Ereignis der italienischen Geschichte und orientierte sich dramaturgisch an einer französischen Tragödie, deren Handlungshintergrund eine ganz andere Schlacht gebildet hatte. Es wäre also nichts Besonderes gewesen, eine Frau, die tatsächlich gelebt hatte und später als Roman- und Dramenfigur berühmt geworden war, zur Titelheldin einer Oper zu machen. Eine Kurtisane, an deren reale Existenz sich viele noch erinnerten, weil ihr Stern erst kurz zuvor am Nachthimmel der Pariser Halbwelt verglüht war, als tragische Heroine darzustellen, bedeutete allerdings einen Tabubruch, wie ihn die Operngeschichte noch nicht erlebt hatte.

Mit der Idee des bürgerlichen Trauerspiels hatte sich Verdi bereits in *Luisa Miller* (1849) auseinandergesetzt und sich mit der Geschichte von der tragisch endenden Liebe einer Soldatentochter zu einem Grafensohn von der bis dato als verbindlich geltenden antiken Dramenpoetik, die Tragödie sei den hochstehenden Personen vorbehalten, verabschiedet. In *La Traviata* ging Verdi dann freilich einen entscheidenden Schritt weiter, indem er in der Gestalt Violetta Valérys Heilige und Hure zu einer Person verschmolz und das Leben einer stadtbekannten Kokotte zur Tragödie veredelte.

Im wirklichen Leben war Violetta als Rose Alphonsine Plessis am 15. Januar 1824 in der tiefsten normannischen Provinz in einem Ort namens Nonant zur Welt gekommen, und an ihrer Wiege war ihr bestimmt nicht gesungen worden, dass sie einst in maßlos teuren Kleidern durch das Pariser Nachtleben tanzen würde. Die Nachrichten über ihre Kindheit sind spärlich und nicht frei von Legendenbildung. Ihr Vater, ein gewalttätiger Mann – seine Berufsbezeichnungen reichen von Tagelöhner über Hausierer bis hin zum Kesselflicker – nahm ihr und seiner unglücklichen Ehefrau übel, dass sie kein Junge war. Alphonsine wuchs in erbärmlichen Verhältnissen auf, lernte weder lesen noch schreiben und schlug sich, nachdem ihre Mutter die Familie verlassen hatte und früh verstorben war, mit

zahlreichen Gelegenheitsjobs durch. Mit zwölf Jahren begann sie in einer Wäscherei zu arbeiten, dann in einem Gasthaus, schließlich bei einem Regenschirmhändler. Und immer wieder scheint ihr Vater sie auch zur Prostitution gezwungen zu haben. Schließlich brachte er sie 1839 nach Paris zu Verwandten, wo sie wiederum als Wäscherin und dann als Lehrling in einem Modeladen arbeitete. Nach all ihren frühen Erfahrungen war der Weg in die Prostitution vorgezeichnet. Sie hatte das Glück, bildschön zu sein und schon bald reiche Verehrer zu finden, die ihr den Aufstieg in die Welt der Luxuskurtisanen ebneten. Auf diesem Wege änderte sie ihren Namen: Aus Alphonsine wurde das gefälligere Marie, und dem banalen Plessis fügte sie ein hörbares »von« hinzu und nannte sich fortan Duplessis.

In den wenigen Jahren, die ihr bis zu ihrem Tuberkulose-Tod am 3. Februar 1847 blieben, versammelte Marie zahlreiche bedeutende Männer um sich. Der junge Agénor de Gramont, Duc de Guiche, der später als Diplomat Karriere machte und schließlich als Außenminister Frankreich in den Deutsch-Französischen Krieg führte, gab ein Vermögen für sie aus. Der steinreiche, weit über siebzig Jahre alte Schwede Gustav Ernst Baron von Stackelberg, der Russland einst beim Wiener Kongress als Diplomat vertreten hatte und nun seinen Lebensabend in Paris verbrachte, wollte sie, an Tochters Stelle, ganz für sich. Mit dem nicht minder wohlhabenden Grafen Édouard de Perregaux, ihrem beständigsten Liebhaber, schloss sie gegen Ende ihres kurzen Lebens in London sogar eine Ehe, die in Frankreich freilich nicht gültig war und auch nie in einen gemeinsamen Hausstand mündete; immerhin durfte sie sich fortan Comtesse de Perregaux nennen. Franz Liszt gab ihr wohl nicht nur Klavierunterricht, und Alexandre Dumas der Jüngere verewigte seine kurze Affäre mit der verwöhnten, für sein Budget allzu anspruchsvollen Gesellschaftsdame ein Jahr nach ihrem Tod in seinem Roman *La Dame aux camélias* und 1852 in einem gleichnamigen Theaterstück. Roman wie Theaterstück sollten sich als Bestseller erweisen; sie begründeten nicht nur den Ruhm ihres Schöpfers, sondern sicherten ihm auch jene üppigen Einkünfte, an deren Fehlen

1845 malte Édouard Viénot, ein begehrter Pariser Portraitist, diese Miniatur von Marie Duplessis. Sie zeigt die Kurtisane mit einer Kamelie im Ausschnitt.

seine Beziehung zu Marie Duplessis einst gescheitert war. In *La Dame aux camélias* erhielt Alphonsine / Marie den Namen Marguerite Gautier, und in den Initialen ihres Geliebten Armand Duval setzte sich Alexandre Dumas selbst ein Denkmal.

Verdi, der zwischen 1847 und 1849 überwiegend in Paris lebte, kannte den Roman mit Sicherheit, und er könnte sogar zu Beginn des Jahres 1852 eine Aufführung des Theaterstücks gesehen haben, denn auch in dieser Zeit hielt er sich in Paris auf. Als er sich noch im Herbst desselben Jahres daran machte, das Schauspiel zu einer Oper umzuarbeiten, plante er zunächst, den literarischen Namen Marguerite beizubehalten und seine Protagonistin Margherita zu nennen. Erst später entschied er sich, der berühmten Halbweltdame mit Violetta Valéry einen neuen Namen und auf diese Weise auch eine gänzlich neue Identität zu geben.

Franz Liszt und die Kameliendame

Franz Liszt begann seine Affäre mit Marie Duplessis, der »vollkommensten Verkörperung von Weiblichkeit«, wie er schrieb, im Jahre 1845. Seine Pläne, sie nach Konstantinopel mitzunehmen, scheiterten an ihrer Krankheit und an seiner Furcht vor Ansteckung. Als er auf einer Konzertreise vom Tod Marie Duplessis' erfuhr, schrieb er am 1. Mai 1847 aus Lemberg an Marie d'Agoult:

»Und diese arme Mariette Duplessis ist gestorben. Sie ist die erste Frau, die ich geliebt habe, die nun auf irgendeinem Friedhof begraben liegt, dem Würmerfraß ausgeliefert. Vor gut fünfzehn Monaten sagte sie zu mir: ›Ich werde nicht leben; ich bin eine sonderbare Frau, und ich kann mich nicht mit dem Leben begnügen, das ich, ich weiß nicht wie, führe und das ich nicht mehr, ich weiß nicht wie, ertrage. Nimm mich, bring mich fort, wohin du willst, ich werde dich nicht stören – ich würde den ganzen Tag schlafen, am Abend solltest du mich ins Theater gehen lassen, und nachts dürftest du mit mir machen, was du willst.‹

Ich hätte Euch niemals von dieser besonderen Verbundenheit erzählt, die mich während meines letzten Aufenthalts in Paris für diese charmante Kreatur ergriff. Ich hatte ihr gesagt, dass ich sie nach Konstantinopel mitnehmen würde, weil das zu der Zeit die einzig mögliche Reise war, die ich ihr zumuten konnte.

Und nun ist sie tot. Und ich weiß nicht, welch geheimnisvoller Akkord einer antiken Elegie in meinem Herzen zu ihrem Gedächtnis erklingt!«

Dumas' Abschiedsbrief

Alexandre Dumas beendete seine knapp ein Jahr dauernde Affäre mit Marie Duplessis durch einen Abschiedsbrief, der sich in ihrem Nachlass wiederfand:

»Meine liebe Marie,

ich bin nicht reich genug, um Sie zu lieben, wie ich es möchte, und nicht arm genug, um von Ihnen geliebt zu werden, wie Sie es wollten. Vergessen wir also alle beide – Sie einen Namen, der Ihnen bald gleichgültig sein dürfte, ich ein Glück, das mir unmöglich geworden ist. Es ist unnötig, Ihnen zu sagen, wie traurig ich bin, da Sie ja schon wissen, wie sehr ich Sie liebe. Nun also Adieu. Sie haben Herz genug, den Grund meines Briefes zu verstehen und Geist genug, mir zu vergeben.

Tausend Erinnerungen

A. D.«

Dumas schenkte das Original dieses Briefes später Sarah Bernhardt – der Schauspielerin, die in der Rolle der Kameliendame wahre Triumphe gefeiert hatte – mit der Bemerkung, sie habe der Vergangenheit mit ihrer Darstellung neues Leben und neue Jugend gegeben.

Es lohnt sich, darüber zu spekulieren, was ihn dazu bewogen haben könnte, die reale Alphonsine zu der fiktiven Violetta umzutaufen. Denn bei aller Begeisterung für das aktuelle Sujet scheint ihm doch daran gelegen gewesen zu sein, allzu direkte Vergleiche seiner Heldin mit der tatsächlichen Marie Duplessis nicht auf Anhieb aufkommen zu lassen.

Auch Violetta ist unbestreitbar eine Kurtisane, doch bildet ihr luxuriöses und zügelloses Leben nur den dekorativen, gleichsam widersprüchlichen Hintergrund für die tragische Geschichte einer wahren, entsagungsvollen Liebe. Anders als Marguerite Gautier, die im Roman noch durchaus ordinäre, raffgierige und berechnende Seiten an den Tag legt, präsentiert sich Violetta zwar als lebenslustig, dabei aber vor allem als edelmütig, zartsinnig und opferbereit. Der Namenswechsel von Marguerite zu Violetta (zwei symbolbeladene Blumen) könnte dabei durchaus Methode gehabt haben – stand die Margeritenblüte doch traditionell für Unentschlossenheit und Wankelmut in der Liebe (»sie liebt mich, sie liebt mich nicht«), das Veilchen dagegen für Demut und Bescheidenheit. Mit dem Namen Violetta Valéry distanzierte sich Verdi ein Stück weit von Marguerite Gautier und nahm für seine Protagonistin in Anspruch, zarter besaitet, sehnsüchtiger und weniger zügellos zu sein. Marguerites

Männerbekanntschaften, die im Roman in aller Ausführlichkeit geschildert werden und sich im Schauspiel noch zahlreich auf der Bühne tummeln, führen bei Violetta nur noch ein Schattendasein als Partygäste. Die Opernhandlung ist ganz auf die romantische Liebe zwischen Alfredo (Armand) und Violetta konzentriert.

Nur so wird verständlich, warum Verdi sich überhaupt für Dumas' *Dame aux camélias* begeistern konnte, obwohl er nur wenige Jahre zuvor das Angebot, Victor Hugos Schauspiel über Marion Delorme, eine französische Kurtisane am Hof Ludwigs XIII. zu einer Oper zu verarbeiten, mit der Begründung abgelehnt hatte, ihm gefielen Prostituierte auf der Bühne nicht. Es war nicht der Glanz der Halbwelt, der ihn interessierte, sondern das Elend einer liebenden Frau, deren Glück sich in einer moralisch ebenso rigiden wie verlogenen Gesellschaft nicht erfüllen durfte.

Vom Roman zum Libretto

Dumas' Roman erzählt die Geschichte der Marguerite Gautier auf mehrfach gebrochenen, in sich verschachtelten Zeitebenen. Er beginnt mit einer Rahmenhandlung, die nach Marguerites Tuberkulose-Tod einsetzt. Auf der Versteigerung ihres Besitzes, deren Erlös ihre horrenden Schulden begleichen soll, erwirbt der Ich-Erzähler ein Buch mit einer rätselhaften handschriftlichen Widmung. Es ist ein Exemplar jenes populären Romans mit dem Titel *Manon Lescaut* aus dem 18. Jahrhundert, in dem Abbé Prévost die tragische Geschichte einer Kurtisane und ihres treuen Liebhabers erzählt. Bald darauf erhält der Ich-Erzähler Besuch von Armand Duval, der ihn um das Exemplar bittet und sich als Autor der Widmung zu erkennen gibt. Von der todgeweihten Marguerite hat er einen Brief erhalten, in dem sie ihn bittet, ihr Tagebuch zu lesen, damit er verstehen könne, was zwischen ihm und ihr geschehen sei. Von Marguerites Freundin Julie Duprat lässt er sich die Schriften aushändigen; ein Brief der Freundin ist auch dabei. Armand und der Ich-Erzähler schließen Freundschaft, und so ist jener dabei, als Armand Marguerites Leiche umbetten lässt, um sie noch einmal zu sehen – ein grausiger Plan, denn von ihrer Schönheit ist, Wochen nach ihrem Begräbnis, nichts mehr übrig.

Das Entsetzen über die Verwesung löst bei Armand ein heftiges Fieber aus, und als er wieder zu sich kommt, erzählt er seinem neuen Freund seine Geschichte: wie er sich in Marguerite verliebte, wie er zum ersten Mal mit ihr im Theater zusammentraf und sie sich über ihn lustig machte, wie er sich Zutritt zu ihren Soireen verschaffte und sie im

Alexandre Dumas der Jüngere (1824 bis 1895), Autor von »La Dame aux camélias«, hatte zwischen September 1844 und August 1845 eine Affäre mit Marie Duplessis.

Kreise ihrer Gönner erlebte, wie Marguerite ihm schließlich ihre Gunst schenkte, von ihren anderen Liebhabern aber nicht lassen wollte, weil Duval nicht die Mittel hätte, ihr luxuriöses Leben zu finanzieren, wie seine Eifersucht fast das Verhältnis zerstört hätte. Schließlich aber habe sie einem reichen Herzog ein Haus auf dem Lande abgeschmeichelt und dort einige Monate in glücklicher und sorgloser Zweisamkeit mit Armand gelebt. Selbst ihre Gesundheit habe sich deutlich verbessert und zu Hoffnung auf eine gemeinsame Zukunft Anlass gegeben. Als der reiche Herzog sich hintergangen gefühlt

und seine Zuwendungen eingestellt habe, sei sie ohne sein Wissen nach Paris gefahren und habe nach und nach ihren Besitz verkauft, um das gemeinsame Leben zu finanzieren. Dann sei sein Vater gekommen und habe ihn in den Schoß der Familie in der Provinz zurückholen wollen. Denn deren Ehre sei durch seine unmoralische Liaison gefährdet. Er aber habe weiterhin von einem gemeinsamen Leben mit Marguerite geträumt und sei deshalb zutiefst erschüttert gewesen, als er von ihr aus heiterem Himmel einen Abschiedsbrief vorgefunden und erfahren habe, dass sie ihr Leben als Kurtisane wieder aufgenommen habe. Nach einigen Monaten im Kreise seiner Familie sei er nach Paris zurückgekehrt und habe sich erneut in das mondäne Nachtleben gestürzt, habe, um Marguerite zu verletzen und sich an ihr zu rächen, ihre Freundin Olympe zu seiner Geliebten gemacht, schließlich aber doch wieder eine Nacht mit ihr verbracht. Als er erfahren habe, dass sie danach einen anderen Liebhaber empfangen habe, sei er vor Wut und Eifersucht aus der Haut gefahren und habe Marguerite ein Honorar für ihre Liebesdienste geschickt. Sie aber habe das Geld unverzüglich retourniert und sich auf Reisen begeben. Auch er habe eine weite Reise unternommen und sei erst nach ihrem Tod zurückgekehrt.

Nach dieser langen Erzählung in der Rückblende wieder in der Gegenwart der Rahmenerzählung angelangt, beginnt Armand nun, Marguerites nachgelassene Briefe zu lesen, und erfährt auf diese Weise endlich, warum sie ihn verlassen hat: Sein Vater hatte sie gedrängt zu tun, was sein Sohn ihm verweigert hatte – sich zu trennen, um die Ehre der Familie und das Glück seiner mit einem ehrbaren Mann verlobten Schwester nicht aufs Spiel zu setzen. Aus Liebe zu ihm hatte sie auf ihr eigenes Glück verzichtet und sich nur umso wilder in das Pariser Nachtleben gestürzt, um ihre Verzweiflung zu betäuben und ihren Tod schneller herbeizuführen. Erschüttert lesen Armand und sein Freund auch den Brief Julie Duprats, der die letzten Tage und Stunden der sterbenden Marguerite schildert. Armand verlässt Paris, um zu seiner Familie zurückzukehren, und der Ich-Erzähler beschließt, die Geschichte aufzuschreiben.

Als Dumas seinen Roman zu einem Theaterstück umarbeitete, nahm er einige bedeutende Änderungen an seiner Geschichte vor. Im Roman war Marguerite das Objekt sentimentaler Erinnerungen eines ihrer zahlreichen Liebhaber, im Theaterstück dagegen handelndes Subjekt. Im Roman war der Leser Armands Blick auf Marguerite und ihr nicht immer tadelloses Verhalten gleichsam ausgeliefert. Auf der Theaterbühne präsentierte sich die Halbweltdame als eine eigenständige Persönlichkeit einem Publikum, das dazu eingeladen war, an ihrem tragischen Schicksal

Anteil zu nehmen, sie ernst zu nehmen, mit ihr zu leiden. Um diese Identifikation zu erleichtern, um die moralische Verurteilung des Kurtisanendaseins, die im Roman allenthalben durchschimmert, zu relativieren, musste es in Marguerites Bühnen-Boudoir daher ein wenig gesitteter zugehen als in den gleichsam ungeschützten, nur für Männerohren bestimmten Erzählungen Armands.

Darüber hinaus entschloss sich Dumas, die verschachtelten Zeitebenen des Romans zu einer chronologisch linear erzählten Handlung umzuformen. Die Rahmenhandlung fiel der Dramatisierung zum Opfer. Dabei musste Dumas freilich eine der zentralen Pointen des Romans preisgeben – dass Armand nämlich erst ganz am Schluss erfährt, warum Marguerite ihn verließ und welche Rolle sein Vater dabei spielte. Im Drama bildet das Gespräch zwischen Vater Duval und Marguerite den Scheitelpunkt der Handlung in der Mitte des dritten, des mittleren Aktes. Es musste gänzlich neu erfunden werden, und Dumas nutzte die Gelegenheit, Marguerite schon hier als eine geläuterte, Achtung gebietende Persönlichkeit darzustellen. Es bedarf einiger Wortwechsel, bis dem Provinzbaron Monsieur Duval mit seinen fest gezimmerten Vorurteilen dämmert, dass er in Marguerite nicht das habsüchtig berechnende Flittchen vor sich hat, aus deren Fängen er seinen Sohn befreien zu müssen glaubt, sondern eine selbstbestimmte, opferbereite Frau, und es bedarf einigen verbalen und emotionalen Ringens, bis Marguerite bereit ist, um der Familienehre der Duvals willen auf Armand zu verzichten. Ihre Hochherzigkeit weckt schließlich gar Duvals Bewunderung, sodass er nicht umhin kann, Marguerite wie eine Tochter zu umarmen. Dabei hat Marguerite ihm nicht einmal verraten, mit welch radikaler Selbsterniedrigung sie zu Werke gehen wird, um Armand ein für alle Mal freizugeben. Eine Trennung, so antwortet sie Monsieur Duval, würde er nicht akzeptieren, und dass sie ihn nicht mehr liebe, würde er ihr nicht glauben. Also ersinnt sie die einzige Lüge, die angesichts ihrer früheren Existenz plausibel erscheinen mag: Sie gaukelt Armand in einem Abschiedsbrief vor, sie hätte ihr altes Leben wieder aufgenommen und auch in der Beziehung zu ihm nie etwas anderes als eine ihrer üblichen Affären gesehen.

Die zweite wichtige Änderung, die Dumas bei der Umarbeitung seines Romans zu einem Theaterstück vornahm, betraf den Schluss des Dramas. Auf die Versteigerung und die Exhumierung konnte Dumas leicht verzichten, als er die Rahmenhandlung preisgab. Marguerites Tod aber, der im Roman erst ganz am Schluss durch den Brief ihrer Freundin berichtet wurde, musste ebenso Teil der Bühnenhandlung werden wie das Gespräch mit Monsieur Duval. Der traurige, einsame Tod der Schwindsüchtigen hätte einem Theaterstück für den Boulevard freilich nicht gut angestanden. So erfand Dumas eine Schlussszene, in der Armand rechtzeitig zu der sterbenden Marguerite zurückkehrt, nachdem er durch einen Brief seines Vater von Marguerites Opfer und ihrer entsagungsvollen Liebe erfahren hat. Umgeben von den wenigen echten Freunden, die ihr auch in ihrem Elend geblieben sind, kann Marguerite erlöst in seinen Armen sterben.

Wer oder was Verdi auf die Idee brachte, *La Dame aux camélias* zu einer Oper zu verarbeiten, ist nicht bekannt. Es scheint eine spontane Idee gewesen zu sein, eine, die ihn nicht mehr losließ, kaum dass sie geboren war. Als er im Januar 1852 eine Anfrage des Teatro La Fenice in Venedig

Biografie Francesco Maria Piaves

»Der Meister will es so, und ich muss mich damit zufriedengeben«: Prägnanter als Francesco Maria Piave kann man wohl nicht beschreiben, was Verdi von seinen Librettisten erwartete. Piave, 1810 in Murano geboren, entstammte einer alteingesessenen Glasmacherfamilie, zeigte aber mehr Interesse an theologischen, später philosophischen und rhetorischen Studien. Nach einigen journalistischen und literarischen Versuchen in Rom, wo er Psalmen ins Italienische übertrug und Erzählungen im Stil Walter Scotts verfasste, kehrte er 1838 nach Venedig zurück und wurde einige Jahre später als Spielleiter und Librettist ans Teatro La Fenice verpflichtet. Von seinen rund fünfzig Libretti entstanden zehn in der Zusammenarbeit mit Verdi, darunter *Rigoletto* (1851) und *La Traviata* (1853). Verdi hatte genaue Vorstellungen, was ein Text zu leisten hatte: knappe, präzise Dialoge, auf den Punkt gebrachte Aussagen ohne weitschweifige Begründungen, die Formulierung eines zentralen Begriffs als möglichen Ausgangspunkt für die musikalische Gestaltung einer Bühnenszene (»parola scenica« nannte Verdi dieses Konzept 1870 in Zusammenhang mit *Aida*). Und Piave fügte sich zu Verdis Zufriedenheit, freilich nicht ohne den einen oder anderen Stoßseufzer. »Du willst wenige Worte und viele Gedanken, aber ohne Worte kann man keine Gedanken entwickeln«, so beklagte er sich in einem Brief an den Komponisten. Verdi schätzte Piave so sehr, dass er ihn 1859 als Librettisten und Spielleiter an die Mailänder Scala holte. Die erfolgreiche Zusammenarbeit fand durch einen schweren Schlaganfall Piaves im Jahre 1867 ein jähes Ende. Verdi unterstützte den Freund, der zum Pflegefall ohne Aussicht auf Besserung geworden war, und seine Familie bis zu Piaves Tod neun Jahre später und kam auch für die Kosten der Beerdigung auf.

erhielt, eine neue Oper zu schreiben, stand diese Idee noch nicht im Raum, ebenso wenig, als er im Mai den Vertrag unterschrieb. Als er vertragsgemäß im Juli das Libretto präsentieren sollte, bat er zum spätestmöglichen Zeitpunkt um Aufschub. Erst im September scheint der Gedanke an eine Oper über *La Dame aux camélias* Gestalt angenommen zu haben. In einem Brief an den französischen Verleger des Dramas bat Verdi »subito, subito« um ein Exemplar. Im Oktober schließlich berichtete Verdis Librettist Francesco Maria Piave der Verwaltung des Teatro La Fenice, offenbar beschwichtigend auf eine Mahnung reagierend, vom Fortgang der Themensuche: Er habe schon ein Libretto fast fertig gehabt, als Verdi sich für ein anderes Sujet begeistert habe; und er fügte hinzu: »Ich glaube, dass Verdi daraus eine schöne Oper machen wird, denn er ist Feuer und Flamme.« Und wenig später bekräftigt Piave noch einmal, Verdi habe dieses Sujet unbedingt gewollt und sei regelrecht verliebt darin.

Bei der Umarbeitung des Theaterstücks zu einem Libretto hielt sich Piave eng an die dramatische Vorlage. Zwar musste er den Text wie in solchen Fällen üblich auf ein Bruchteil der ursprünglichen Dialoge zusammenstreichen und auch die Zahl der handelnden Personen drastisch reduzieren. Dabei ließ er alles weg, was von Marguerites anstößigem Lebenswandel im Drama noch übrig geblieben war – das Betteln um Geld, die Leichtfertigkeit im Umgang mit ihren Liebhabern. Aber er fasste den Sinn wortreicher Erörterungen geschickt zu kurzen, komponierbaren Textpassagen zusammen und übernahm bisweilen auch Formulierungen des Dramas in sein Libretto. Aus Monsieur Duvals Schilderung seiner Tochter »J'ai une fille, jeune, belle, pure comme un ange« (Ich habe eine Tochter, jung, schön, rein wie ein Engel) formte Piave den Beginn einer Arie: »Pura siccome un angelo / Iddio mi diè una figlia« (Rein wie ein Engel / gab Gott mir eine Tochter). Und auch Violettas Sterbeszene findet sich bei Dumas vorformuliert:

Marguerite:	Ah! c'est étrange. (Elle se lève.)
Armand:	Quoi donc? …
Marguerite:	Je ne souffre plus. On dirait que la vie rentre en moi … j'éprouve un bien-être que je n'ai jamais éprouvé … Mais je vai vivre! … Ah! que je me sens bien! (Elle s'assied et paraît s'assoupir.)

Marguerite:	Ah! Es ist seltsam. (Sie erhebt sich.)
Armand:	Was ist? …
Marguerite:	Ich leide nicht mehr. Man könnte sagen, dass das Leben in mich zurückkehrt … ich fühle ein Wohlsein, wie ich es nie gefühlt habe … Aber ich werde leben! … Ah! Wie fühle ich mich gut! (Sie setzt sich und scheint einzuschlummern.)

Piave übernahm diese Szene nahezu wörtlich in sein Libretto:

Violetta:	È strano!
Annina, Alfredo, Germont, Dottore:	Che?
Violetta (parlando):	Cessarono Gli spasimi del dolore! In me rinasce, m'agita Insolito vigore! Ah! Io ritorno a vivere! Oh gioia! … (Ricade sul canapé.)

Violetta:	Es ist seltsam!
Annina, Alfredo, Germont, Dottore:	Was?
Violetta (parlando):	Es wichen Die Krämpfe des Schmerzes! In mir entsteht, mich erregt Ungewohnte Kraft! Ah! Ich kehre zum Leben zurück! Oh Freude! … (Sie fällt auf das Sofa zurück.)

Bei allem Zwang zum Zusammenfassen der Handlung und zum Zusammenstreichen des Textes ließ es sich Piave doch nicht nehmen, eine ausgedehnte Szene neu hinzuzuerfinden, die weder im Roman noch im Drama vorhanden war. An der Episode, in der Armand Marguerite beleidigt, indem er sie bezahlt, lässt sich ablesen, wie wichtig es Verdi war, Violetta von einer Liebesdienerin zu einer Liebenden aufzuwerten. Im Roman schickt Armand ihr nach einer letzten Liebesnacht und der Nachricht, dass sie gleich darauf einen anderen Liebhaber empfangen habe, in einem Brief zusammen mit einer kränkenden Bemerkung Geld, das sie auf demselben Wege wortlos retourniert. Danach trennen sich ihre Wege für immer. Im Schauspiel ersann Dumas jene Szene am Ende des 4. Aktes, in der Armand Marguerite am Arm ihres neuen Liebhabers Varville im Hause Olympes wieder begegnet und sie vor aller Augen beleidigt, indem er ihr jenes Geld vor die Füße wirft, das sie während der Zeit ihrer Beziehung für ihn ausgegeben habe: Nun sei er ihr nichts mehr schuldig. Marguerites Reaktion auf diese Demütigung ist ein einziges »Ah!« und eine Ohnmacht, während Varville Armand voller Verachtung seine Handschuhe ins Gesicht wirft und mit den Worten »Décidément, monsieur, vous êtes un lâche!« (Wirklich, Monsieur, Ihr seid ein Feigling!) auf ihn losgeht. Mit dem Versuch der Anwesenden, die beiden Streithähne zu trennen, endet der Akt. Fast hat es den Anschein, als sei es Dumas in dieser Szene eher um die Männerehre gegangen als um eine Verteidigung Marguerites. Und selbst das briefliche Bedauern Monsieur Duvals über das Betragen seines Sohnes, als er Marguerite von dem Duell zwischen Armand und Varville berichtet, hält sich in Grenzen, auch wenn er immerhin, gleichsam als Belohnung dafür, dass Marguerite ihr Versprechen gehalten hat, seinen Sohn über die Vorgeschichte nun in Kenntnis gesetzt hat.

Hier griffen Piave und Verdi deutlich in die Handlung und vor allem in die Charakterisierung der Personen ein. Mag es auch nicht ganz glaubwürdig erscheinen, dass der Vater Germont ausgerechnet in dem Moment auf dem Fest erscheint, als Alfredo Violetta das Geld vor die Füße wirft und sie in Ohnmacht fällt – die ergänzte Schlussszene dieses Aktes gilt allein Violettas Verzweiflung. Germont macht seinem Sohn schwere Vorwürfe und bedauert im Stillen, dass er Violetta nicht helfen kann, Alfredo ist entsetzt über sein eigenes Verhalten. In dem allgemeinen Tumult derer, die sich um die ohnmächtige Violetta bemühen, geht die Duellforderung des Barons Douphol (Varville) fast unter. Entscheidend aber ist, dass Violetta irgendwann aus ihrer Ohnmacht erwacht und Alfredo ihrerseits mit einer so verzweifelten Liebe begegnet, dass sich die ganze Anteilnahme nur noch auf sie und ihr Leiden richtet. Für diese Szene gibt es nirgendwo bei Dumas ein Vorbild. Dass Verdi ihr bei der Vertonung besondere Aufmerksamkeit angedeihen ließ, verweist auf seine Strategie, Violetta gegenüber Marguerite aufzuwerten. Sein kompositorisches Herz gehörte nicht der leichtlebigen Halbweltdame, sondern der achtbaren Weggefährtin, die durch ihre Liebe über sich selbst und über die Gesellschaft hinauswächst, die sie zu dem gemacht hatte, was sie war. Die dezidierte Parteinahme für Violetta enthielt auch eine durchaus deutlich artikulierte sozialkritische Komponente, die bei Dumas weniger ausgeprägt war. Verdi war sich der Provokation bewusst, die in der Wahl dieses Stoffes steckte. In einem berühmten Brief, mitten in der Komposition der Oper, schrieb er am 1. Januar 1853: »In Venedig mache ich die *Dame aux camélias*, die als Titel vielleicht *Traviata* bekommt. Ein zeitgenössisches Sujet. Ein anderer hätte es vielleicht nicht gemacht wegen der Kostüme, der Zeiten und wegen tausend anderer alberner Skrupel. Ich mache es mit ganzem Vergnügen.«

Umso wütender reagierte Verdi auf das Verlangen der Zensurbehörde, der zeitgenössischen Handlung ihre Brisanz zu nehmen, indem sie in eine ferne Vergangenheit zurückverlegt wurde. Erst nach langen Verhandlungen willigte er schließlich, wenn auch unter Protest, in eine historische Kostümierung ein – allerdings nur mit der Zusicherung, auf

Perücken in jedem Fall zu verzichten. Mit der Lokalisierung im Ancien Régime, die das Publikum von dem, was da auf der Bühne geschah, gänzlich freigesprochen hätte, mit dem Sündenpfuhl höfischer Verkommenheit, wie ihn die Perücke optisch symbolisierte, wollte er seine Sicht der Geschichte dann doch nicht allzu eng verbunden wissen. Dass das Uraufführungslibretto als Ort und

Figurine der Violetta Valéry (aus der Zeitschrift »Cosmorama Pittorico«, 1853), die möglicherweise die Kostümierung Violettas in der Uraufführung wiedergibt.

Zeit der Handlung »Parigi e sue vicinanze, nell 1700 circa« (Paris und Umgebung, um 1700), also die hohe Zeit der Allongeperücke, angibt, darf wohl weniger als Zeichen dafür gewertet werden, dass Verdis Wunsch missachtet wurde, als vielmehr für ein eher nachlässiges Geschichtsverständnis.

Komponieren im Schweinsgalopp: Sechs Wochen für »La Traviata«

Hatte sich schon die Suche nach einem geeigneten Libretto so lange hingezogen, dass das vertraglich vereinbarte Datum für die Uraufführung der neuen Oper, der 26. Februar 1853, gefährdet war, so hinderten Verdi noch andere Verpflichtungen daran, sich intensiv der Komposition von *La Traviata* zu widmen. Denn eigentlich war er mit der Fertigstellung einer anderen Oper beschäftigt. Zwischen der Uraufführung von *Il Trovatore* am 19. Januar und *La Traviata* am 6. März liegen wenig mehr als sechs Wochen. Die Partitur von *Il Trovatore* war im Dezember 1852 fertig geworden, und um Weihnachten herum war Verdi nach Rom gefahren, um seine neue Oper einzustudieren. Für die Komposition von *La Traviata* blieb bestenfalls zwischen den Proben ein wenig Zeit. Erst Ende Januar konnte sich Verdi ganz auf *La Traviata* konzentrieren; eine rheumatische Erkrankung, die ihn in der Kälte des Winters befallen hatte, mag ihm zwar ungelegen, aber auch willkommen gewesen sein, weil sie eine Verlegung des Uraufführungsdatums rechtfertigte. Mitte Februar, lediglich drei Wochen vor der nunmehr auf Anfang März festgesetzten Premiere, waren der 1. und große Teile des 2. Aktes zumindest im Particell fertig gestellt, sodass die Proben am Theater beginnen konnten. Ein Brief der Theaterdirektion an die Polizei vom 14. Februar lässt vermuten, dass Verdis Partitur zu diesem Zeitpunkt noch nicht vorlag. Eine Woche später reiste Verdi selbst nach Venedig, um die Proben zu überwachen; er nutzte die Zeit im Hotel auch dazu, die Oper zu instrumentieren. Die ungeheure Eile, mit der *La Traviata* komponiert und einstudiert wurde, mag das Fiasko der Uraufführung mitverschuldet haben. Niemand, weder die Sänger noch das Orchester, hatten Zeit, sich mit dem neuen Werk auch nur annähernd intensiv auseinanderzusetzen. Eine der erfolgreichsten Opern der gesamten Geschichte verdankt ihre Entstehung dem Diktat allerhöchsten Zeitdrucks.

Ideen für »La Traviata«

Ungeachtet des schier unvorstellbaren Zeitdrucks, unter dem Verdi *La Traviata* komponierte, existieren einige Skizzen, die deutlich machen, dass er sich schon frühzeitig Gedanken über die Vertonung machte. Bemerkenswert sind vor allem jene niedergeschriebenen melodischen Ideen, die noch ohne Text daherkommen und vielleicht schon aufgeschrieben wurden, bevor der Text überhaupt verfasst war – was einmal mehr darauf hindeuten würde, dass Verdi dem Librettisten die Vorgaben diktierte und nicht umgekehrt. Eines machen die Skizzen ebenfalls deutlich: dass Verdi dazu neigte, erst die geschlossenen Formen, das Cantabile oder die Cabaletta, niederzuschreiben, bevor er sich über die rezitativischen Anteile und die musikalische Einbettung dieser Arien in die gesamte Szene Gedanken machte.

Die Handlung

Text und Stoffquelle Das Libretto von Francesco Maria Piave basiert auf dem 1852 uraufgeführten Theaterstück *La Dame aux camélias* von Alexandre Dumas dem Jüngeren, das seinerseits auf dem gleichnamigen, 1848 veröffentlichten Roman des Autors beruht

Uraufführung 6. März 1853, Teatro La Fenice, Venedig

Personen Violetta Valéry (Sopran, c^1–des^3); Flora Bervoix (Mezzosopran, b–a^2); Annina, Violettas Dienerin (Sopran, c^1–g^2); Alfredo Germont (Tenor, e–b^1); Giorgio Germont, sein Vater (Bariton, c–ges^1); Gastone, Visconte de Letorières (Tenor, b–g^1); Barone Douphol (Bariton, G–f^1); Marchese d'Obigny (Bass, F–f^1); Dottore Grenvil (Bass, G–f^1); Giuseppe, Violettas Diener (Tenor, e–e^1); ein Bediensteter Floras (Bass, c); ein Dienstmann (Bass, c–c^1); Chor der Freunde und Freundinnen von Violetta und Flora, Matadore, Picadore und Zigeunerinnen

Orchester 2 Flöten (2. auch Piccoloflöte), 2 Oboen, 2 Klarinetten, 2 Fagotte, 4 Hörner, 2 Trompeten, 3 Posaunen, Cimbasso, Pauken, große Trommel, Becken, Triangel, Streicher ▪ Bühnenmusik: Harfe, Banda (*Valzer* im 1. Akt, ad libitum), 2 Piccoloflöten, 4 Klarinetten, 2 Hörner, 2 Posaunen, Tamburine, Kastagnetten (*Coro Baccanale* im 3. Akt)

Ort und Zeit der Handlung In der ursprünglichen Fassung: Paris und Umgebung, um 1850; weil dem Theater der zeitgenössische Stoff zu heikel erschien, wurde die Handlung auf die Zeit »um 1700« zurückverlegt

Musikalische Gliederung der Partitur

Preludio (Nr. 1)

1. Akt

Introduzione (Nr. 2)
Scena ed Aria Violetta (Nr. 3)

2. Akt

Scena ed Aria Alfredo (Nr. 4)
Scena e Duetto Violetta und Germont (Nr. 5)
Scena Violetta; Scena ed Aria Germont (Nr. 6)
Finale secondo (Nr. 7)

3. Akt

Scena ed Aria Violetta (Nr. 8)
Coro Baccanale (Nr. 9)
Scena e Duetto Violetta und Alfredo (Nr. 10)
Finale ultimo (Nr. 11)

1. Akt In einer lauen Augustnacht gibt Violetta Valéry eines ihrer rauschenden Feste, zu denen sich die Pariser Halbwelt einzustellen pflegt: freigiebige Herren aus der besseren Gesellschaft samt ihren freizügigen Begleiterinnen (*Introduzione*). Dass Violetta einige Zeit das Bett hüten musste, weil sie an der Schwindsucht leidet, erfährt man nur nach und nach. Wenn der Vorhang sich öffnet, sitzt sie mit dem Doktor in ein Gespräch vertieft auf dem Sofa; Fragen der eintreffenden Gäste nach ihrem Befinden weist sie mit strahlendem Lächeln von sich. Zuerst erscheinen der Baron Douphol, Violettas hartnäckigster Verehrer, und Flora Bervoix am Arm des Marchese d'Obigny; als nächster betritt Gastone, Visconte de Letorières, den Salon und stellt Violetta seinen Freund Alfredo Germont vor. Von Gastone erfährt sie, dass Alfredo sich, während sie krank darniederlag, mit großer Sorge jeden Tag nach ihrem Befinden erkundigt habe. So seltsam ihr das erscheinen mag, so beeindruckt ist sie doch von so viel Anteilnahme – und nimmt dies zum Anlass, den Baron damit zu necken, dass er solches nicht getan habe. Als Douphol ihr schlecht gelaunt zurückgibt, dass er sie schließlich erst seit einem Jahr kenne, pariert sie dies mit dem Hinweis, Alfredo kenne sie erst seit ein paar Minuten. Doch dann wischt sie die aufkommende Gereiztheit beiseite, indem sie Wein einzuschenken beginnt. ▪ Als Douphol sich weigert, einen Trinkspruch auszubringen, lässt Alfredo sich nicht lange bitten (*Brindisi*). Auf seine erste Strophe, die von der Liebe handelt, antwortet Violetta mit einer zweiten, die das Vergnügen preist. Die Gäste sind begeistert und fallen in den Refrain ein. ▪ Da hört man Tanzmusik aus dem Nebenzimmer; Violetta hat ein Orchester engagiert, das jetzt einen Walzer intoniert (*Valzer e Duetto*). Während die Gäste sich in den Tanzsaal begeben, befällt Violetta ein kurzes Unwohlsein, doch sie kann ihre überraschten, allerdings eher betretenen als besorgten Gäste schnell davon überzeugen, schon einmal zum Tanzen vorauszugehen. Nur Alfredo bleibt zurück, erneut voller Sorge um ihre Gesundheit. Er gesteht Violetta voller Leidenschaft, dass er sie seit einem Jahr liebe, doch sie weist sein Werben zurück – nur Freundschaft könne sie ihm bieten, Liebe, eine ausschließliche, fesselnde zumal, sei nicht ihr Geschäft. Doch immerhin gibt sie ihm eine Blume

GRAN TEATRO LA FENICE

Per la sera di Domenica 6 Marzo 1853. Recita XLI.

PRIMA RAPPRESENTAZIONE DELL'OPERA NUOVA

LA TRAVIATA

Dopo l'Opera avrà luogo il gran Ballo in cinque Atti composto e messo in Scena dal Coreografo sig. A. MONTICINI.

LA LUCERNA MARAVIGLIOSA

von ihrem Mieder und erlaubt ihm wiederzukommen, wenn diese verblüht sei. Überglücklich stürzt er davon. ▪ Auch die anderen Gäste, erhitzt und ermüdet vom Tanzen, verabschieden sich und verlassen im Morgengrauen das Fest (*Stretta dell'introduzione*). ▪ Allein zurückgeblieben (*Scena ed Aria Violetta*) denkt Violetta über Alfredo nach, der sie doch mehr in ihrem Innersten getroffen hat, als ihr lieb ist: Ist er vielleicht der Mann ihrer Jugendträume, mit dem sie eine echte, tiefe Liebe leben könnte? Doch sie ruft sich zur Ordnung: Ein solches Glück sei für sie nicht vorgesehen. In dieser Wüste namens Paris könne es für sie nur Vergnügen, Lust und Unterhaltung geben. Auch Alfredos sehnsüchtiger Gesang unter ihrem Balkon bringt sie nicht davon ab, sich bis zu ihrem Ende in den Strudel des Nachtlebens stürzen zu wollen.

2. Akt, 1. Bild Fast ein halbes Jahr ist seit jener ersten Begegnung vergangen, Violetta und Alfredo sind dann doch ein Liebespaar geworden. Seit drei Monaten hat Violetta ihr altes Leben im Luxus und die Verpflichtungen, die daraus erwachsen, hinter sich gelassen und ist mit Alfredo in ein Landhaus in der Nähe von Paris gezogen. Hier, in der Stille des Landlebens, sind die beiden glücklich miteinander. All dies erfährt man zu Beginn des Aktes von Alfredo (*Scena ed Aria Alfredo*). Von der Jagd zurückkehrend, trifft er auf Violettas Dienerin Annina, deren sorgenvolle Miene nichts Gutes verheißt. Von ihr muss Alfredo erfahren, dass sie, in Violettas Auftrag und mit dem strikten Gebot zu schweigen, in Paris den gesamten Besitz ihrer Herrin verkauft hat, um damit das Leben in der Einsamkeit finanzieren zu können. Entsetzt erkennt Alfredo, dass er in seiner blinden Leidenschaft an die Kosten des Liebesnestes nicht gedacht hat. Zutiefst beschämt und in seiner Ehre verletzt bricht er nach Paris auf, um die Verbindlichkeiten seinerseits zu begleichen. ▪ Als

Theaterzettel der Uraufführung von »La Traviata« im Teatro La Fenice am 6. März 1853. Nach der Oper wurde noch ein Ballett über »Aladins Wunderlampe« gegeben.

er fort ist, lässt sich ein älterer Herr bei Violetta melden; es ist Giorgio Germont, Alfredos Vater, der gekommen ist, um seinen Sohn aus dem vermeintlichen Würgegriff dieser raffgierigen Prostituierten zu befreien (*Scena e Duetto*). Sein Erstaunen ist groß, als Violetta ihm bedeutet, dass sie nicht vorhabe, Alfredo um seinen Besitz zu bringen, dass sie jedes Geldgeschenk zurückweisen würde, weil sie selbst gerade all ihren Besitz zu Geld mache, um ein gänzlich neues Leben an Alfredos Seite zu beginnen. Doch Germont will mehr: Um der Familienehre willen müsse sie sich von Alfredo trennen; denn seine Tochter könne den von ihr geliebten Mann nicht heiraten, wenn ruchbar würde, dass ihr Bruder mit einer sittenlosen Frau zusammenlebe. Violetta weist dieses Ansinnen weit von sich: Ihre Liebe sei zu groß, und sie habe ohnedies nicht mehr lange zu leben. Germont lässt sich nicht beirren: Mit der ersten Leidenschaft würde wohl auch das Glück verschwinden, weil diese Verbindung nicht vom Himmel gesegnet sei. Violetta muss erkennen, dass ihr, mag Gott ihre Reue auch annehmen, auf Erden keine Vergebung für ihr früheres Leben zuteil werden wird. So ist sie bereit, sich für das Glück der Tochter Germonts zu opfern und die Trennung von Alfredo so radikal zu vollziehen, dass keine Rückkehr mehr möglich ist. Eine einzige Gegenleistung verlangt sie von Germont: Er möge seinem Sohn nach ihrem Tode berichten, welches Opfer sie um der Liebe willen gebracht habe. Beeindruckt von ihrer Großmut umarmt Germont Violetta wie eine Tochter und verlässt sie, um im Garten auf Alfredo zu warten. ▪ Allein zurückgeblieben (*Scena Violetta*) schreibt sie Alfredo einen Brief und verbirgt ihren Schmerz, als er sie dabei überrascht. Mit einer letzten verzweifelten Liebeserklärung stürzt sie davon. Kurz darauf überbringt ein Bote Alfredo den Brief – einen Abschiedsbrief, in dem Violetta ihn wissen lässt, dass sie ihr altes Leben wieder aufzunehmen gedenke. ▪ Es gelingt Germont nicht, Alfredos Wut und Verzweiflung zu beruhigen (*Scena ed Aria Germont*). Die Aussicht, in die heimatliche Provence zurückzukehren und im Kreise der Familie sein wundes Herz zu kurieren, hält ihn nicht davon ab, Violetta hinterherzufahren, um Rache zu üben.

2. Akt, 2. Bild Der Maskenball, zu dem Flora Bervoix Violetta eingeladen hatte, ist in vollem Gange (*Finale secondo*). Gastone führt eine Schar von Zigeunerinnen und Matadoren an; man unterhält sich bestens, und die Nachricht, Violetta habe Alfredo verlassen und sich mit dem Baron Douphol zusammengetan, wird mit Verwunderung, aber ohne großes Interesse aufgenommen. Da erscheint Alfredo auf dem Fest und setzt sich mit den anderen an den Spieltisch. Getreu der Devise, dass Glück im Spiel und Glück in der Liebe unvereinbar seien, gewinnt er jede Partie – auch die gegen den Baron, als dieser mit Violetta auf dem Fest erscheint. ▪ Voller Sorge nutzt sie einen unbeobachteten Moment, um Alfredo anzuflehen, das Fest zu verlassen, weil der Baron ihm womöglich nach dem Leben trachte. Als Alfredo von ihr verlangt, mit ihm zu gehen, weigert sie sich mit der kryptischen Bemerkung, sie habe jemandem versprochen, ihn für immer zu meiden. Alfredo missversteht diese Anspielung und bezieht sie auf den Baron. In einem Akt allerletzter Verzweiflung lässt Violetta ihn glauben, sie liebe Douphol. Das aber ist für Alfredo zu viel. Vor den versammelten Festgästen schleudert er der ohnmächtig in sich zusammensinkenden Violetta das eben gewonnene Geld als Bezahlung für ihre Liebesdienste in den vergangenen Monaten vor die Füße. ▪ Gerade in diesem Augenblick kommt auch Germont auf das Fest. In dem allgemeinen Entsetzen mischen sich die Empörung der Gäste, der Vorwurf des Vaters und Alfredos Scham über seine so unbedachte Tat, die dem Baron nun tatsächlich die Gelegenheit gibt, Alfredo zum Duell zu fordern. Als Violetta aus ihrer Ohnmacht erwacht, bedeutet sie Alfredo, eines Tages werde er ihr Handeln verstehen.

3. Akt Ein weiterer Monat ist vergangen. In ihrem Schlafzimmer dämmert die todkranke Violetta dahin (*Scena ed Aria Violetta*). Von draußen schallt der Pariser Karneval herein. Am Fenster sieht Annina den Doktor kommen – der einzige Mensch aus der Welt der nächtlichen Vergnügungen, der ihr auch in diesem Zustand geblieben ist. Doch er kann nichts mehr für Violetta tun; Annina bedeutet er, dass Violetta nur noch wenige Stunden zu leben habe. Mit einem Auftrag schickt sie Annina fort, um in Ruhe noch einmal den Brief zu lesen, den Germont ihr geschickt hat: In dem Duell sei Douphol verwundet worden, aber auf dem Wege der Besserung; Alfredo habe sich ins Ausland abgesetzt, doch Germont habe ihm in einem Brief alles über Violettas Entschluss geschrieben. Alfredo sei auf dem Wege zu ihr. Traurig sinnt Violetta über ihr Leben nach; sie weiß, dass es zu spät ist. ▪ Von draußen tönen wilde Karnevalsgesänge herein (*Coro Baccanale*). ▪ Da erscheint Alfredo und bittet Violetta um Vergebung (*Scena e Duetto*). Überglücklich hofft sie auf ein neues Leben mit ihm, irgendwo auf dem Land, doch sie ist zu schwach, sich auch nur aus dem Sessel zu erheben, und Alfredo muss erkennen, dass er zu spät gekommen ist. ▪ Auch der Dottore und Germont, die nun das Krankenzimmer betreten, müssen miterleben, wie Violetta sich von Alfredo verabschiedet, wie sie anfängt zu halluzinieren und schließlich tot niedersinkt (*Finale ultimo*). Im allgemeinen Schmerz fällt der Vorhang.

Christine Schäfer und Jonas Kaufmann 2007 im 3. Akt der Pariser »Traviata«-Inszenierung von Christoph Marthaler in der Ausstattung von Anna Viebrock.

Die Figurenkonstellation

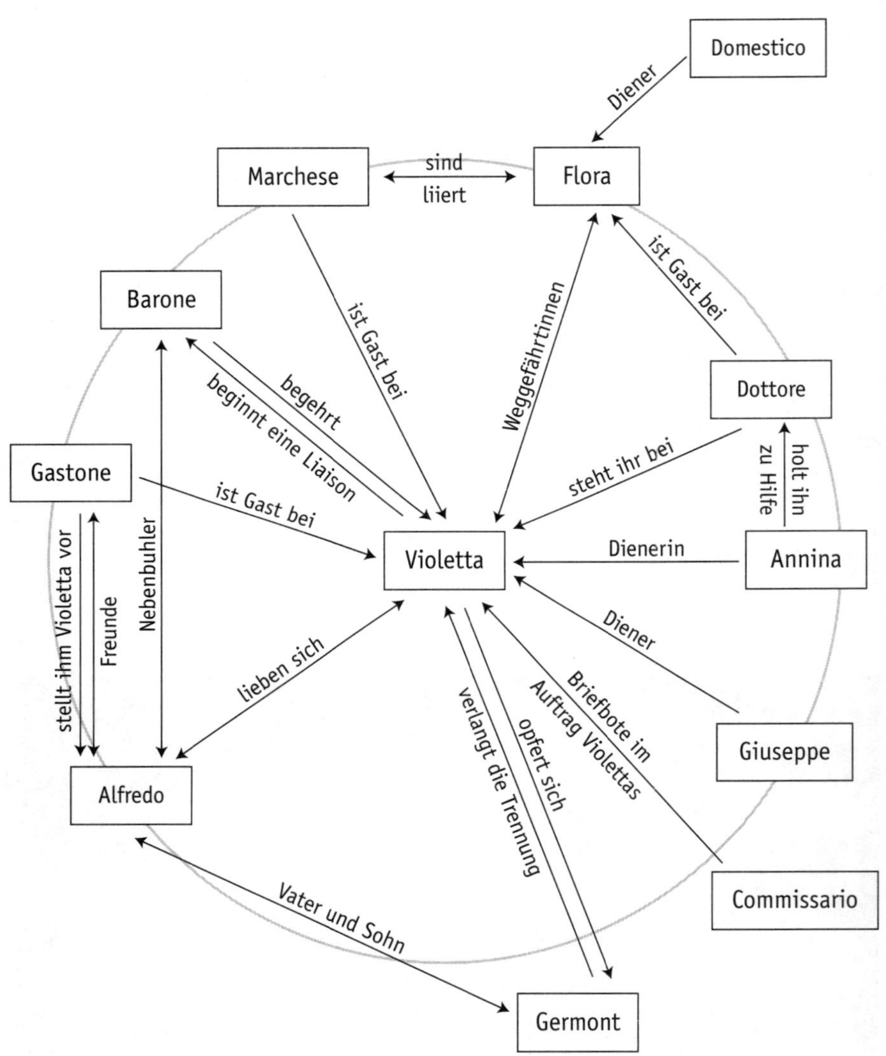

Die musikalische und dramaturgische Gestaltung

»Die üblichen Konventionen«

Als »Galeerenjahre« bezeichnete Verdi 1858 die 16 Jahre seit der Uraufführung von *Nabucco* 1842, in denen er nicht weniger als 19 Opern komponierte. *La Traviata*, in nur wenigen Wochen komponiert und knapp zwei Monate nach *Il Trovatore* uraufgeführt, war die sechzehnte davon. Möglich war diese schier unvorstellbare Serie immer neuer Opern auch deshalb, weil das Rad der musikalischen Dramaturgie nicht jedes Mal neu erfunden werden musste; Verdi konnte – musste – auf verbindliche dramaturgische Konventionen zurückgreifen; hierin unterschied sich die italienische Oper in der ersten Hälfte des 19. Jahrhunderts wenig von ihren Vorläuferinnen, etwa der Opera seria oder der Opera buffa des 18. Jahrhunderts. Zu Verdis Zeiten bezogen sich die von ihm selbst als »solite convenienze« (die üblichen Konventionen) bezeichneten Erwartungen zum einen auf die Personenkonstellation. George Bernard Shaw zufolge, dem ebenso bissigen wie luziden Kritiker der italienischen Oper, ließen sich Verdis Opernhandlungen so zusammenfassen: Sopran und Tenor lieben sich, der Bariton ist dagegen. Diese Konstellation, so schematisch sie auf den ersten Blick erscheinen mag, ließ dennoch zahllose Gestaltungsmöglichkeiten offen. Die Liebe kann gegenseitig sein wie in *La Traviata* oder asymmetrisch wie die Gildas zum Herzog von Mantua in *Rigoletto*, der Bariton mag den Nebenbuhler des Tenors verkörpern wie etwa in *Il Trovatore* oder dessen Vater wie in *La Traviata* – aus dem dramaturgischen Grundmodell der Dreiecksbeziehung ließen sich ebenso viele individuelle Geschichten entwickeln wie aus dem Sechs-Personen-Modell der Opera seria im 18. Jahrhundert.

Zum anderen bestanden die »solite convenienze« in einem Handlungsverlauf, der ausgedehnte Massenszenen mit scheinbar privaten Solo- oder Duettszenen abwechselte. In *La Traviata* nutzte Verdi dieses dramaturgische Schema zur Darstellung jenes Gegensatzes zwischen Öffentlichkeit und Intimität in all seinen Abstufungen, der Violettas Welt charakterisiert: Sie ist der strahlende Mittelpunkt des Pariser Nachtlebens, das seine eigenen musikalischen Gesetze kennt – rauschende Tänze, derbe Trinksprüche, lärmende Theaterdarbietungen. Sie ist aber auch die einsame, mal daseinsfreudige, mal verzagte Frau, die dem Zuschauer in ihren Soloszenen Einblick in ihr Seelenleben gewährt. Wie eine Kamera richtet die Musik ihr imaginäres Objektiv auf die Geschichte, die in *La Traviata* erzählt wird, mal in der Totale wie die Introduzione mit ihrem Weitwinkel-Blick auf Violettas nächtliche Festivitäten oder wie auf dem Maskenball im Hause Floras im 2. Akt, mal in Großaufnahme wie in Violettas Scena ed Aria am Ende des 1. Aktes. Mit Alfredos Trinklied »Libiamo ne' lieti calici« oder Gastons Stierkämpferlied »È Piquillo un bel gagliardo« auf Floras Fest im 2. Akt zoomt die musikalische Kamera einen wichtigen Moment des Geschehens aus dem Festgetümmel heran, um dann wieder in einem mehr oder weniger abrupten Schwenk in die Totale zu wechseln.

Obwohl *La Traviata* ausgelassene Festszenen in allen drei Akten präsentiert, drängt Verdi sie aus Violettas Leben doch Schritt für Schritt heraus: Zu Beginn der Handlung ist eine Soiree zentrales Milieu für ihre Begegnung mit Alfredo; im 2. Akt bildet Floras Fest den Hintergrund für ihr persönliches Verhängnis; im 3. Akt, der ansonsten gänzlich der privaten Violetta gewidmet ist, schallt der Pariser Karneval ohne irgendeinen Bezug zum Drama nur noch von der Straße aus in das Krankenzimmer herein; wären da nicht die »solite convenienze« der Operndramaturgie, hätte die kurze, »Baccanale« genannte Szene ohne Verlust für die Handlung auch fortbleiben können.

Zum Dritten schließlich legten die »solite convenienze« die formale Anlage der musikalischen Nummern einer Oper fest: der Soloszenen, der Duette oder der großen Ensembles. Sie alle folgten einem ähnlichen, auf dem Prinzip der Steigerung beruhenden Schema. Die Soloszene, generell »Scena ed Aria« betitelt, begann mit einem orchesterbegleiteten Rezitativ, das in eine langsame Arie, »Cantabile« oder »Cavatina« genannt, mündete. Dieser folgte ein neuerliches Rezitativ und schließlich eine schnelle, virtuose, »Cabaletta« bezeichnete Arie.

Alfredos Soloszene zu Beginn des 2. Aktes von *La Traviata* ist ein Musterbeispiel einer derartigen Scena ed Aria und nur insofern eine

Besonderheit, als sich in das zweite Rezitativ, »Tempo di mezzo« überschrieben, ein kurzer Dialog mit Annina mischt. Nach einer knappen instrumentalen Einleitung erfährt das Publikum von Alfredo, dass er und Violetta seit drei Monaten auf dem Lande leben, dass sie für diese Liebe ihr luxuriöses Leben in Paris aufgegeben hat, dass sein Glück unendlich ist. Nach diesem Rezitativ, in dem die Deklamation zwischen gemessenem Erzählton und pathetischem Vortrag wechselt, beginnt das mit »Andante« bezeichnete Cantabile – als Arie erkennbar an der stereotypen Begleitfigur, deren nervöses Sechzehntelpizzicato über die grundierende Funktion hinaus in den hohen Streichern die »bollenti spiriti« (innere Glut) hörbar macht, und an dem periodisch gegliederten, in großen Melodiebögen auf- und abschwingenden Gesang Alfredos. Das Unheil naht nun in Gestalt Anninas; sie eröffnet Alfredo, dass sie den heimlichen Auftrag hatte, in Paris Violettas Besitztümer zu veräußern, um das Leben auf dem Lande finanzieren zu können. Die wachsende Spannung, Alfredos plötzliche Erkenntnis, dass er die Kosten der Zweisamkeit nicht bedacht hat, braut sich im Orchester zusammen, das sich von einzelnen Begleitakkorden in den Streichern über einen bedrohlich wirkenden Rhythmus aus laufenden Achteln in den Bässen und trommelartigen Floskeln in den hohen Streichern bis zu einem Fortissimo in punktierten Achteln im vollen Orchester einschließlich der Blechbläser und des Schlagzeugs steigert. An dieser Stelle beginnt die Cabaletta, in der Alfredo seiner Scham und seiner Wut über sich selbst Ausdruck verleiht. Unter der Tempovorzeichnung »Allegro« bricht es gleichsam aus ihm heraus: eine auftaktige melodische Wendung, die sich im Verlauf der Arie zu immer neuen Abschnitten zusammenballt, macht den Tumult in seinem Inneren ebenso deutlich wie eine wachsende chromatische Instabilität der Melodieführung. Eine gleichermaßen stereotype, mit der des Cantabile deutlich verwandte Begleitfigur bindet die beiden Arienabschnitte und auf diese Weise die gesamte Szene aneinander.

Nach demselben formalen Muster sind auch die Duette und die großen Ensembles gestaltet, allerdings mit charakteristischen Modifikationen. Im Duett besteht die Scena zu Beginn aus einem rezitativischen Dialog, in der großen Ensembleszene aus einem Chor, einem Ballett oder auch einer Arie. Dieser Einleitung folgte dann ein »Tempo d'attacco« (Anschlusssatz) genannter, zum Cantabile überleitender Abschnitt in rezitativischem Gestus.

Sind Verdis Opern deshalb schematisch, schablonenhaft, stereotyp, wie man ihnen vor allem in Deutschland seit dem 19. Jahrhundert immer wieder vorgeworfen hat? Nun würde niemand Mozarts Streichquartette dafür schmähen, dass sie auf dem Grundmodell des Sonatensatzes beruhen, sondern stattdessen rühmen, wie der Komponist dem Schema Individualität und jedem einzelnen Satz Unverwechselbarkeit verliehen hat. Auch Verdi nahm sich die Freiheit, den »solite convenienze« eine jedes Mal andere Behandlung angedeihen zu lassen, die Normen zu respektieren, ohne sich zu ihrem Sklaven zu machen. Wie viele individuelle Gestaltungsmöglichkeiten auch diese Formschemata ermöglichen, macht jede Oper Verdis deutlich, insbesondere aber *La Traviata*, in der Verdi namentlich den Duetten durch die Musik neue dramaturgische Bedeutung gegeben hat. Jedes von ihnen – Violettas und Alfredos im 1. und im 3. Akt, Violettas und Germonts im 2. Akt – erfüllt die Norm und weicht dennoch in unterschiedlicher und zum Teil so radikaler Weise davon ab, dass das Ergebnis das ursprüngliche Schema kaum mehr erkennen lässt.

Beglückende Popularität: Melodie und Rhythmus

Was die Besonderheit Verdis jenseits der »solite convenienze« ausmacht, ist aber vor allem seine melodische Erfindung, die weniger aus einem Sinn für biegsame Kantilenen als vielmehr aus der dramatischen Geste heraus erwächst. Sie gibt den handelnden Personen Kontur, ohne freilich die Belange der Sängerstars zu vernachlässigen. Verdis Komponieren ist in hohem Maße empathisch; statt das Geschehen auf der Bühne wie ein allwissender Erzähler durch den musikalischen Satz darzulegen, schlüpft Verdi gleichsam in seine Rollen hinein und lässt sie selbst zu Wort kommen. Seine Melodien offenbaren den Charakter, die Selbstpräsentation, das Unausgesprochene, die Erfahrungen und Sehnsüchte, die seine Protagonisten umtreiben. Sie sind unverblümt in ihrer emotionalen Direktheit und doch alles andere als eindimensional – und vielleicht gerade in ihrer Unbedingtheit so einprägsam. Wer *La Traviata* je gehört hat, dem werden zuallererst die pathetischen Melodien im Gedächtnis bleiben: »Di quell'amor ch'è palpito«, »Amami, Alfredo«, »Così alla misera«, »Addio, del passato« … Und auch die wie banal daherkommenden musikalischen Darbietungen innerhalb der Handlung, Alfredos Trinklied im 1. Akt oder der Chor der Zigeunerinnen »Noi siamo zingarelle« im 2. Akt, haben Ohrwurm-Qualitäten. Doch worin besteht das Geheimnis von Verdis Fähigkeit, Melodien »zum Mitsingen« – und das heißt ja auch: zum Miterleben – zu erfinden? Mit dem Begriff der Volkstümlichkeit, der in diesem Zusammenhang häufig genannt wird, ist das Ergebnis ihrer Rezeption, nicht aber die Beschaffenheit der Melodien selbst beschrieben. Wenn Oskar Bie in seinem Buch *Die Oper* 1913 von der »beglückenden Popularität« verdischer Melodien sprach, so spielte er damit auf *La Traviata* an. Nun ist *La Traviata* alles andere als ein volkstümlicher Stoff und Violettas Arien alles andere als verkappte Volkslieder. Dass aber Verdis Melodien, anders als die seiner Zeitgenossen, volkstümlich werden konnten, hat mit ihrer Machart zu tun.

Das beginnt mit der kompromisslosen Trennung zwischen Gesang und Begleitung. Kein Orchesterinstrument, kein wie auch immer komplexer musikalischer Satz kommt der Entfaltung der Melodie in die Quere. Die Komposition konzentriert sich ganz auf die Erfindung der Gesangsmelodie und weist dem Orchester die Rolle des Unterstützers zu. Dazu gehört die Überschaubarkeit der harmonischen Struktur wie auch der rhythmischen Organisation. Oft sind Verdis Arien strophisch. Fasslichkeit garantiert darüber hinaus die klare Periodisierung des melodischen Verlaufs mit regelmäßigen Gliedern und deutlichen Zäsuren sowie eine diatonisch schlichte, von Wiederholungsstrukturen geprägte Gesangslinie. Erst wenn sich alle diese musikalischen Komponenten in der Wahrnehmung des Zuhörers eingenistet haben, beginnt Verdi, sie zu verändern – auszuweiten, zu modifizieren, harmonisch und rhythmisch instabiler zu machen und mit gesanglicher Virtuosität auszuschmücken.

An »Amami, Alfredo«, jenem kurzen, leidenschaftlichen Ausbruch Violettas am Ende ihres letzten Gesprächs mit Alfredo (Scena Violetta, Nr. 6), bevor sie den Ahnungslosen verlässt, lassen sich Verdis musikalische Strategien der Einprägsamkeit gut studieren, weil er alle diese Komponenten im Kleinen repräsentiert, ohne sie zu einer großen Arie auszuweiten. Die nur 18 Takte lange Passage (plus 6 Takte Orchesternachspiel) basiert auf einem einzigen elfsilbigen Rezitativvers, den Verdi durch seine Vertonung zur Grundlage eines ariosen Abschnitts macht: »Amami, Alfredo, quant'io t'amo … Addio« (Liebe mich, Alfredo, wie ich dich liebe … Leb wohl). Wie wird aus einem metrisch irregulären Rezitativvers ein musikalischer Abschnitt mit allen Qualitäten einer Arie? Verdi weitet den Vers zunächst durch Textwiederholungen, die von Mal zu Mal an emotionaler Intensität zunehmen, aus: »Amami, Alfredo – Amami quant'io t'amo – Amami, Alfredo, quant'io t'amo, quant'io t'amo. – Addio.«

Aus dem schlichten Rezitativvers entwickelt sich durch diese Texterweiterungen ein kleines psychologisches Drama; Violetta steigert sich immer mehr in ihre Verzweiflung hinein. Verdi legt der Szene eine einfache, diatonisch absteigende, viertaktige Melodielinie zugrunde, die von der Tonika in die Dominante führt und mit einer minimalen rhythmischen

Modifikation noch einmal wiederholt wird. Das hierdurch rascher werdende Deklamationstempo zu Beginn verrät Violettas emotionale Anspannung, die sich dann in dem folgenden achttaktigen Abschnitt entlädt. Die Melodielinie beginnt diesmal eine Terz höher, und statt sich sogleich nach unten zu wenden, steigt sie erst einmal noch um einen weiteren Ton an, bevor sie die Richtung abwärts einschlägt; indem Violetta sodann die Punktierung von Viertel zu Achtel verschärft und zwei der punktierten Takte jeweils einmal wiederholt, entsteht aus der ursprünglich fast harmlosen Melodielinie ein kaum unterdrücktes Schluchzen, dem dann nur noch das abrupte »Addio« folgt.

Einfachheit, Wiederholung, Überschaubarkeit sind die Grundvoraussetzungen für Verdis melodische Erfindung. Aus einem simplen Rezitativvers mit unregelmäßiger Akzentstruktur ist durch Verdis Vertonung ein Arioso von fast hymnischer Feierlichkeit zu Beginn und schmerzlicher Verstörung zum Ende hin geworden. Mit geradezu bescheidenen musikalischen Mitteln, zu denen sich eine klare 4 + 4 + 8 + 2(+ 6 = 8)-Periodik gesellt, erreicht Verdi größtmögliche dramatische Wirkung. »Amami, Alfredo«, in der Mitte des mittleren Aktes positioniert, ist nicht nur das dramaturgische, sondern auch das emotionale Zentrum der Oper.

»Amami, Alfredo« gehört zu den zahlreichen melodischen Wendungen in *La Traviata*, die untereinander verwandt sind. Auffällig ist nämlich, dass Violettas »private« Melodien, anders als die affirmativen Koloraturen der Kurtisane auf ihrem Fest, fast immer abwärts weisen. »Amami, Alfredo« scheint ein direkter Reflex auf die zuerst von Alfredo gesungene Kantilene »Di quell'amor ch'è palpito« zu sein, die sich wie ein Leitthema durch die ganze Oper zieht. Und Violettas »Così alla misera« im Duett des 2. Aktes wie auch ihre Arie »Addio, del passato« im 3. Akt sind in ihrem absteigenden Gestus darauf bezogen.

Wie die melodische Gestaltung ist auch die rhythmische in *La Traviata* von hörbaren Ähnlichkeiten und Korrespondenzen geprägt. Die Wahl der Taktarten und Tempi in den großen Ensembleszenen wie auch

in den Arien lassen musikalische Organisationsstrukturen erkennen, die als solche nicht auftrumpfen, aber doch Entscheidendes zum Verständnis der erzählten Geschichte beitragen.

Das Pariser Nachtleben beschrieb Verdi durch den Walzer. Als Paartanz, bei dem Herr und Dame sich, wenn auch auf Abstand, berührten und auf diese Weise näher kamen als bei allen anderen Gesellschaftstänzen zuvor, war der Walzer auf dem Wiener Kongress 1814/15 in Mode gekommen und hatte wohl auch deshalb einen Siegeszug durch ganz Europa angetreten, weil er gesellschaftliche ebenso wie moralische Schranken ignorierte. Um Walzer tanzen zu können, bedurfte es keiner langen choreografischen Studien; mit dem einfachen Walzerschritt konnten Paare sich mehr oder weniger selbstvergessen über die Tanzfläche drehen. Wenn dabei der Arm des Herrn etwas enger um die Taille der Dame rutschte, als es vorgesehen und erlaubt war, so ließ sich dies auch damit begründen, dass man die Dame lediglich vor dem Fall bewahren wolle. Bald eroberte der Walzer auch die sinfonische Musik. Im 2. Satz seiner *Symphonie fantastique* hatte Hector Berlioz eine ausgelassene Ballszene, in der die Hauptperson der »Drame musical« bezeichneten Sinfonie die Geliebte vorbeitanzen sieht, durch einen Walzer beschrieben.

Mit dem Walzer, der erst allmählich den Ruch einer gewissen Frivolität abzulegen begann, legte Verdi die Zeit der Handlung in der aktuellen Gegenwart ein für alle Mal fest. Als die venezianische Theaterdirektion verlangte, die Geschichte von der edelmütigen Luxusprostituierten in eine moralisch weniger bedenkliche, weil längst vergangene Zeit im Ancien Régime zurückzuverlegen, um den guten Geschmack nicht zu verletzen, machte Verdi seine Weigerung auch an diesem Walzer fest: Er müsste sonst, so ließ er die Verantwortlichen wissen, zwei Nummern neu komponieren, um dieselbe Wirkung zu erzielen, denn mit dem Walzer könne das Ancien Régime nun einmal nicht charakterisiert werden. Diese Bemerkung macht deutlich, dass Verdi sehr wohl daran gelegen war, der zeitlosen Geschichte von dem Opferwillen einer edlen Heldin durchaus eine sozialkritische Komponente zu geben und, auch mit den Mitteln der Musik, auf die Doppelmoral einer Gesellschaft zu verweisen, die sich nächtliche Vergnügungen kauft, an dem Schicksal derer, die diese Lustbarkeiten bereitstellen, aber keinen Anteil nimmt. Der Walzer, als Musik der Pariser Demi-Monde, klingt als Bühnenmusik von einer Banda aus dem Nebenraum herüber, wenn Alfredo im 1. Akt Violetta seine Liebe gesteht; er begleitet, vom Orchester aus, das Kartenspiel im Finale des 2. Aktes, in dem Alfredo erst gegen Gastone, dann gegen Douphol gewinnt und dennoch als in seiner Männerehre getroffener Verlierer dasteht, weil Violetta an Douphols Seite auf dem Fest erschienen ist.

Neben diesen »diegetischen«, also innerhalb der Handlung selbst angesiedelten Walzerklängen spielt der Walzerrhythmus auch in den Arien und Duetten eine wichtige Rolle als musikalische Chiffre, mit der Verdi soziale und emotionale Räume absteckt. Der Walzer mit seinem raschen Dreiermetrum steht auch hier für die leichtsinnige Welt des Vergnügens; der langsame Dreiertakt ist dagegen der echten Liebe, dem tiefen Gefühl vorbehalten, während der gerade Takt das rhythmische Korsett für den strikten Verhaltenskodex der vermeintlich guten Gesellschaft darstellt. An den Walzerrhythmus gemahnt Alfredos Trinklied »Libiamo ne' lieti calici« in der Introduzione und Gastones Stierkämpferlied »È Piquillo un bel gagliardo« im 2. Akt.

Fast wäre man versucht, aus dem langsamen Dreiermetrum ebenfalls einen Walzer herauszuhören. Da der langsame Walzer aber erst deutlich später entstand, bleibt lediglich die rhythmische Verwandtschaft des schnellen mit dem langsamen Metrum zu konstatieren. In diesem singt Alfredo seine Liebesarie »Un dì felice, eterea« im 1. Akt und sein Cantabile »De' miei bollenti spiriti« im 2. Akt. Dass der 3. Akt über weite Strecken von diesem Metrum geprägt ist, darf angesichts dessen Charakterisierung als Rhythmus der echten Liebe nicht überraschen – Alfredos Liebesthema »Di quell'amor ch'è palpito« aus »Un dì felice, eterea« kehrt zweimal zurück; sowohl das Duett »Parigi, o cara, noi lasceremo« zwischen Alfredo und Violetta als auch Violettas letzte Arie im Finale »Prendi, quest'è l'immagine« sind von diesem Metrum geprägt. Dagegen singt Germont, der so sture Hüter der öffentlichen Moral, alle seine Arien im Viervierteltakt.

Bemerkenswert ist Verdis Umgang mit dem raschen und dem langsamen Dreiermetrum in der Charakterisierung seiner Protagonistin. Violettas Cantabile im 3. Akt »Addio, del passato« steht mit seiner Tempovorzeichnung »Andante mosso« genau zwischen langsam und schnell; die Arie, in der sie sich selbst als »Traviata«, als vom Wege abgekommen bezeichnet, erzählt sowohl von der walzerseligen Halbwelt als auch von Alfredos Liebe. In Violettas großer Scena ed Aria im 1. Akt aber verwendet Verdi die beiden ähnlichen und dennoch verschiedenen Metren, um genau jenen Gegensatz zwischen der wahren Liebe und dem Talmi des Vergnügens, der Violettas Dasein kennzeichnet, hörbar zu machen: Das Cantabile »Ah, fors'è lui che l'anima« formuliert das Traumbild der Liebe im langsamen Dreiermetrum, in der Cabaletta »Sempre libera degg'io« führt sich Violetta ihr frivoles Dasein im raschen Walzertempo vor Augen.

Kommentieren, Kolorieren, Koordinieren: Verdis Orchesterbehandlung

Als »monströse Guitarre zum Akkompagnement der Arie« bezeichnete Richard Wagner 1860 die Art, wie Verdi das Orchester in seinen Opern behandelte, und traf damit sogar, lässt man einmal den ebenso despektierlichen wie überheblichen Unterton dieser Bemerkung beiseite, den Nagel auf den Kopf: In Verdis kompositorischem Denken steht der Gesang im Vordergrund, dem das Orchester als Begleitung dient. Das bedeutet aber nicht, dass Verdi dem instrumentalen Part seiner musikalischen Dramen weniger Aufmerksamkeit schenkte; ohne das stützende Fundament des Orchestersatzes wären die Singstimmen auf der Bühne sehr allein gelassen. Das Orchester schafft die Handlungsräume, in denen die Sänger frei agieren können, indem es formale Rahmung gestaltet, szenische Episoden mit Kadenzen und Zäsuren markiert und voneinander abgrenzt. Es gibt das Tempo vor, fixiert die Tonart oder macht durch tonale Instabilitäten deutlich, wie sehr die Gefühle der Protagonisten aus den Fugen geraten sind, trägt durch markante oder schleppende Begleitrhythmen zur Interpretation des Bühnengeschehens bei. Durch den

Wechsel der Klangfarben, durch die Auswahl der begleitenden Instrumente dient es dem Verständnis der Bühnensituation und der emotionalen Befindlichkeiten. Es stützt die Sänger, indem es ihre Kantilenen mitspielt und zum Leuchten bringt, es tritt mit gleichsam gezupften Akkorden zurück, um eine gesungene Melodie so recht zur Geltung zu

Eduard Hanslick und »La Traviata«

Eduard Hanslick (1825–1904), dem wir die Definition von Musik als »tönend bewegter Form« verdanken, konnte in seiner aktiven Zeit als Wiener Musikkritiker mit *La Traviata* überhaupt nichts anfangen. In seiner Besprechung der Wiener Erstaufführung am 4. Mai 1855 verriss er die Oper in der *Presse* zwei Tage später gnadenlos: »In der *Traviata* ist es rein darauf abgesehen, einen noch unausgebeuteten pathologischen Reiz, eine Lungensüchtige, auf die Bühne zu bringen. Alle Arten gewaltsamen Sterbens durch Schießwaffen, Schneidewerkzeuge, Gift u. dgl. waren bereits durch die Opern-Componisten aufgebraucht, selbst der Wahnsinn hatte den romantischen Reiz schon verloren, welche eine verschrobene und bildungslose Sentimentalität dieser bedauerungswürdigsten Krankheit umzuhängen liebt. Nun musste also im Grässlichen, diesem Stamm- und Lieblingssitz der modernen Oper, noch ein Fußbreit ›rother Erde‹ erobert, es musste das rein körperliche Leiden in seiner Nacktheit zum Mittelpunkt des musikalischen Dramas gemacht werden. [...] Von Verdis Musik ist wenig zu sagen. Ohne mit dem Namen der Oper Wortspiel treiben zu wollen, müssen wir ihn doch ohneweiteres auf Verdis Composition anwenden. Von Anfang an schwindsüchtig wie die Heldin, ist Verdis Musik nur dadurch noch interessanter, dass sie auch zeitweilig unter *delirium tremens* leidet. [...] Einen Fortschritt gegen die früheren Opern Verdis hat die *Traviata* nur in der mäßigeren Instrumentirung aufzuweisen. [...] Die Musik ist von einer Langweiligkeit, die nachgerade zum Attentat wird.«

1893 lernte Hanslick Verdi, der ihn seinen italienischen Gästen mit milder Ironie als den »Bismarck der Musikkritik« vorstellte, persönlich kennen und revidierte in seiner Autobiografie von 1894 sein harsches Urteil: »Die schlichte Herzlichkeit, mit welcher Verdi – hier so gut wie unnahbar für jeden Fremden – mich empfing und begrüßte, hat mich, der ich manche Jugendsünde gegen ihn auf dem Gewissen habe, tief bewegt. Es leuchtet etwas unendlich Mildes, Bescheidenes und in der Bescheidenheit Vornehmes aus dem Wesen dieses Mannes, den der Ruhm nicht eitel, die Würde nicht hochfahrend, das Alter nicht launisch gemacht hat.«

bringen, es kann mit üppiger, vollstimmiger Orchestration klangliche Pracht verbreiten und mit reduzierter, gleichsam klangloser Instrumentierung auf die Kläglichkeit des Daseins verweisen.

La Traviata, einer der Höhepunkte jener »Galeerenjahre«, in denen Verdi einen Großteil seiner Opern schrieb, ist typisch für seine Orchesterbehandlung. Da finden sich allenthalben Begleitfiguren wie die fast ordinären Hum-ta-ta-Akkorde, zu denen Alfredo in der Introduktion sein Trinklied »Libiamo ne' lieti calici« singt. Da finden sich nervöse Spielfiguren wie die aus gehetzten Staccato-Wechselnoten und irrlichternden Appoggiaturen zusammengesetzte Ostinato-Floskel, die im 2. Teil des 2. Aktes das Kartenspiel und die kaum unterdrückte Aggression der Rivalen Alfredo und Douphol untermalt. Und da finden sich schicksalsschwere Rhythmen wie die düsteren, an die Paukenwirbel eines Trauermarsches gemahnenden Streicherfiguren, die Violettas Verzweiflung beim Abfassen des Abschiedsbriefes an Alfredo hörbar werden lassen. Diese anapästischen Rhythmen, von Frits Noske einst, auch im Hinblick auf *La Traviata*, als Todesmotiv bezeichnet, begegnen dem Zuhörer an verschiedenen Stellen der Oper; ein letztes Mal werden sie Violettas Wunsch im 3. Akt begleiten, wenn sie Alfredo mit den Worten »Prendi, quest'è l'immagine« ein Portrait überreicht, das er dereinst seiner Braut zeigen und an ihr Opfer erinnern soll – eine Episode in der lichtloser kaum denkbaren Tonart des-Moll, in der Verdi das volle Orchester im fünffachen Pianissimo spielen lässt.

Welche Aufmerksamkeit Verdi der orchestralen Ausgestaltung angedeihen ließ, macht gerade jene Melodie deutlich, die sich als Leitthema durch die ganze Oper zieht – Alfredos F-Dur-Kantilene »Di quell'amor ch'è palpito / dell'universo intero« (siehe S. 77 f.). Wenn sie in Alfredos Arie »Un dì felice, eterea« zum ersten Mal erklingt, wird sie in den Streichern von einem gitarrenartigen Pizzicato begleitet; Hörner und Fagotte heben den Anfangsimpuls der Melodie mit einem lang ausgehaltenen Akkordklang hervor. Wenn Violetta sie in ihrem Cantabile »Ah, fors'è lui che l'anima« zitiert, als sie ihren Mädchentraum vom Märchenprinzen der Erfüllung nahe sieht, erfindet die Klarinette mit ihren charakteristisch arpeggierenden Sechzenteltriolen eine Begleitstimme hinzu, die Violettas Gesang, unterstützt auch von den Hörnern und den Fagotten, wie mit einer schmückenden Girlande umgibt. Wenn Alfredo dann, in Violettas As-Dur-Cabaletta »Sempre libera degg'io« hinein, von der Straße aus noch einmal seine Liebeserklärung singt, wird diese, als sei sie tatsächlich ein Ständchen unter dem Balkon, nur von den gezupften Klängen der Harfe begleitet. Wenn die Melodie sich im 3. Akt auf Violettas

Autografes, auf den 25. Februar 1858 datiertes Albumblatt von Giuseppe Verdi mit einer aus der Erinnerung (und fehlerhaft) aufgeschriebenen Version von Alfredos »Di quell'amor« aus dem 1. Akt.

Sterbebett, diesmal in düsterem Ges-Dur, hören lässt, während Violetta Germonts Brief liest, ist sie auf einen ausgedünnten Streichersatz aus zwei ersten Violinen reduziert, die von einem pianissimo gespielten Tremolo einer zweiten Violine sowie je zweier Violen und Violoncelli begleitet werden; ein weiteres Cello zupft als stabilisierenden Anfangsimpuls den Grundton dazu. Und wenn die Melodie schließlich, nunmehr in A-Dur, Violettas letzte Atemzüge begleitet, ist auch dieses bisschen Pizzicato samt den tiefen Klängen der Violoncelli verstummt; vier erste und vier zweite Violinen sowie zwei Violen im vierfachen Pianissimo ziehen Violetta mit ihren schwebenden Klängen gleichsam den Boden unter den Füßen weg. Erst mit ihrem Todesschrei »oh gioia« erklingt das volle Orchester im Fortissimo. Mit der jeweils anderen Orchestrierung gab Verdi der immer gleichen Melodie immer wieder neue Bedeutungen. Sie wandelt sich von einer leidenschaftlichen Liebeserklärung zu einer musikalischen Himmelstür, die sich öffnet, um Violetta aufzunehmen.

Verdis Orchester ist freilich in der Regel bestätigend, affirmativ; selten ist aus dem Orchestergraben jener Widerspruch zu hören, mit dem ein Komponist wie etwa Mozart seinen eigenen instrumentalen Kommentar zu dem Verhalten seiner handelnden Personen abgibt und durchblicken lässt, dass er mehr über die Geschichte weiß, die er da erzählt, als seine Protagonisten. Lediglich in der Wahl der Tonarten gibt Verdi bisweilen zu erkennen, dass die Geschichte anders zu verstehen ist als die handelnden Personen sie verstehen.

Die Tonarten

Mit den Tonarten ist es so eine Sache. Einerseits spielten sie bei einem Operntypus, der vor allem die sängerischen Leistungen in den Mittelpunkt stellte, eine untergeordnete Rolle, denn ein Opernkomponist musste bei der Planung des musikalischen Handlungsverlaufs zuallererst Rücksicht auf die Fähigkeiten seiner Sänger nehmen, musste für die Lage schreiben, in der ihre Stimmen am besten zur Geltung kamen, musste bereit sein zu akzeptieren, dass eine Partie nach oben oder nach unten transponiert wurde, wenn sie für einen neuen Sänger unbequem lag. Andererseits aber waren die Tonarten für die Konzeption des musikalischen Dramas, bevor es gleichsam in den Niederungen der Theaterpraxis ankam, von entscheidender Wichtigkeit. Sie interpretieren eine dramatische Situation mit musikalischen Mitteln jenseits des Gesangs; sie strukturieren den musikalischen Ablauf einer Szene. Seit der Antike hatte man den Tonarten Eigenschaften zugeschrieben, und spätestens seit dem 18. Jahrhundert hatten sich Traditionen in der Verwendung dieser oder jener Tonart zur musikalischen Charakterisierung bestimmter Emotionen oder Situationen herausgebildet, an denen kein Komponist vorbei kam – ganz gleich, ob er sie nun beachten oder ignorieren wollte.

Julian Budden, einer der bedeutendsten Verdi-Forscher des 20. Jahrhunderts, hielt die Suche nach Tonartenplänen, wie sie etwa in den Opern Wagners oder Mozarts zu finden sind, bei Verdi für nutzlos, weil die Arbeit mit tonartlichen Regionen nicht Teil seines musikalischen Denkens gewesen sei. Ein Blick auf *La Traviata* zeigt jedoch, dass die Wahl der Tonarten in dieser Oper alles andere als zufällig ist, und er zeigt außerdem, wie genau Verdi das Drama der Violetta Valéry in allen seinen Facetten musikalisch organisiert hat – die menschliche Tragödie der liebenden, dem Tod geweihten jungen Frau ebenso wie die Doppelmoral einer Gesellschaft zwischen rechtschaffener Fassade und ungebändigter Vergnügungssucht, an der die vom rechten Wege Abgekommene, die »Traviata«, zerbrechen muss.

Die Oper beginnt, nach dem in h-Moll einsetzenden und in E-Dur endenden Preludio, in A-Dur und schließt in des-Moll (im Schlussakkord ohne Terz) – die erste eine ebenso festliche, brillante Tonart wie die zweite düster und trostlos ist. Auch die Tonarten erzählen auf ihre Weise die Geschichte, die sich auf der Bühne vollzieht. A-Dur ist die Tonart jenes Festes in Violettas Haus, bei dem die Welt des Vergnügens noch in Ordnung scheint, und sie kehrt in der Oper nur noch selten wieder – am auffälligsten und in signifikanter Weise im Moment von Violettas Sterben im 3. Akt, wenn die Melodie der Liebe ein letztes Mal zu hören ist und Violetta, jenseits des Todeskampfes, neue Kraft in sich zu verspüren meint. Die Tonart ruft die Erinnerung an unbeschwerte Vergnügungen wach, und wenn sie sich bei den Worten »insolito vigor« (ungewohnte Kraft) über einen As-Dur-Septakkord in Richtung des-Moll aufmacht, so beschreibt die Musik auf diese Weise auch die Aussichtslosigkeit dieser letzten, sich aufbäumenden Hoffnung.

Welche Bedeutung Verdi der Tonart As-Dur in *La Traviata* beimaß, lässt sich in einer Tabelle der Rahmentonarten im 1. Akt ablesen:

Rahmentonart	**Episode**	**Personen**
A-Dur	Das Fest	Violetta, Flora, Marchese, Gastone, Alfredo, Barone, Tutti
B-Dur	Trinklied	Alfredo, Violetta, Tutti
Es-Dur	Walzer	Tutti, Violetta und Alfredo
F-Dur	Duett	Violetta und Alfredo
Es-Dur	Walzer	Gastone, Violetta und Alfredo
As-Dur	Ende des Festes	Tutti
As-Dur, C-Dur	Scena (Rezitativ)	Violetta
f-Moll	Cantabile	Violetta
As-Dur	Cabaletta	Violetta

Wie gelangt man von A-Dur nach As-Dur? Die Tabelle zeigt, wie sich die Tonarten allmählich in dunklere Regionen wenden. Es-Dur wird die neue Rahmentonart der nächtlichen Lustbarkeiten; auch der 2. Akt, das Fest im Hause Floras, wird in Es-Dur enden. Alfredo gelingt es, dieses Es-Dur aufzuhellen – mit seinem Trinkspruch in B-Dur, vor allem aber mit seiner Liebeserklärung in F-Dur. Mit As-Dur, der Rahmentonart von Violettas Scena ed Aria, hat es schließlich seine besondere Bewandtnis.

Marcel Proust über »La Traviata«

Von Marcel Proust ist die Bemerkung überliefert, Dumas habe die reale Marie Duplessis in eine literarische Maria Magdalena verwandelt, während Verdi Dumas' Roman durch seine Musik erst zu einem Kunstwerk gemacht habe.

Um 1800 als »Gräberton« apostrophiert, galt es traditionell als eine besonders düstere, todesnahe Tonart, ebenso wie das parallele f-Moll, dem diese Funktion schon in der Barockoper zugeschrieben worden war. Wenn Verdi Violettas erste große Soloszene, am Ende eines rauschenden Festes, umgeben von all dem Luxus, der ihre Existenz ausmacht, in diesen beiden Tonarten komponiert, so kann er nicht umhin, damit einen musikalischen Kommentar zu ihrer wahren Situation zu formulieren. In all ihrer glitzernden Prächtigkeit ist sie doch dem Tod geweiht, und es ist dieses Wissen, das ihre leichtsinnige Lebenslust antreibt.

As-Dur kehrt im 3. Akt noch einmal wieder, wenn Alfredo der sterbenden Violetta verspricht, Paris mit ihr zu verlassen und sich nie mehr von ihr zu trennen. Noch weiß er nicht, wie es um Violetta wirklich steht, aber die Tonart weiß es – umso genauer, als sie bei Violettas Versuch, Normalität zu zeigen, sich auch noch nach as-Moll wendet. Erst in diesem Moment erkennt Alfredo, dass es zu spät ist.

Mit den Tonarten schuf Verdi nicht nur Makrostrukturen, indem er sie für die Rahmung einzelner Episoden nutzte; sie dienten ihm auch dazu, Details der Handlung und der Personencharakteristik zu modellieren. E-Dur ist so eine Tonart. Sie ist selten in *La Traviata*, was angesichts der Tatsache, dass in der gesamten Oper die B-Tonarten klar überwiegen, nicht verwundert. E-Dur erscheint zum ersten Mal am Ende des Preludio, als Dominante zu dem folgenden A-Dur des Festes. Im Verlauf der Handlung ist E-Dur so eindeutig der Welt Germonts, der Engstirnigkeit der vermeintlich guten Gesellschaft zugeordnet, dass sich Julian Buddens Behauptung, Tonarten hätten in Verdis musikalischem Denken keine Rolle gespielt, als ein Fehlurteil herausstellt. Dies sind die Stellen, an denen Verdi E-Dur einsetzt:

1. in Violettas rezitativischer Scena am Ende des 1. Aktes, zu den Worten »Würde eine ernste Liebe für mich ein Unglück sein?«,
2. in der ersten Szene des 2. Aktes in der Auseinandersetzung mit Germont, als sie ihn bittet, sie wie eine Tochter zu umarmen,

3. in der darauffolgenden Szene, als Alfredo nichtsahnend von der Ankunft seines Vaters spricht; das E-Dur von »Giunse mio padre« wird mit einer durchaus brachialen Modulation von g-Moll nach E-Dur vorbereitet,
4. im 2. Bild des 2. Aktes, als Violetta Alfredo bedeutet, sie habe jemandem versprochen, ihn zu verlassen, der alles Recht auf diese Forderung gehabt habe,
5. im 3. Akt, als Alfredo Violetta um Vergebung bittet,
6. in der darauffolgenden Szene, als Germont erkennt, wie es um Violetta steht, und seine Tat bereut,
7. in der letzten Szene des 3. Aktes, als Violetta zu Alfredo von der »sittsamen Jungfrau« spricht, die er dereinst heiraten solle.

Lediglich in einer einzigen weiteren Situation erklingt das E-Dur in anderer Funktion als der, die Welt Germonts zu charakterisieren, nämlich als gleichnamige Dur-Variante des e-Moll-Zigeunerinnenchores im Finale des 2. Aktes. Besondere Beachtung aber verdient jener Moment, als Violetta Alfredo verschweigt, wer hinter ihrer Entscheidung steckt, ihr altes Leben wieder aufzunehmen. Er verdächtigt Douphol und darf nicht wissen, dass es sein eigener Vater ist. Das E-Dur, mit dem sie ihm antwortet, verrät, was sie in Worten nicht sagen darf.

Streifzug durch die Partitur

Flashback: Das Vorspiel

In keiner anderen Oper Verdis steht die Protagonistin so im Zentrum des Geschehens wie Violetta Valéry in *La Traviata*. Mit Ausnahme einer Soloszene Alfredos zu Beginn des 2. Aktes und dem Zwiegespräch zwischen Alfredo und seinem Vater nach ihrer überstürzten Abreise in derselben Episode ist Violetta gleichsam vom ersten bis zum letzten Moment der Handlung auf der Bühne präsent. Sie ist es auch in der »Preludio« genannten Ouvertüre, einer kurzen instrumentalen Einleitung, in der ihr tragisches Ende vorweggenommen wird, ohne dass der Zuhörer hier schon ahnen könnte, was es mit den seltsam ätherischen Klängen zu Beginn des Vorspiels auf sich hat. Freilich wollen diese so gar nicht zu der funkelnden Partystimmung zu passen, mit der die Oper gleich darauf beginnen wird. Bevor sich Violetta als scheinbar leichtfertige Halbweltdame in all ihrem luxuriösen Flitter präsentieren kann, erzählt Verdi im Preludio von der existenziellen Not dieser jungen, todkranken Frau in Form einer musikalischen Rückblende und zwingt den Zuschauer auf diese Weise, die lärmenden Lustbarkeiten im Hause Violettas von Anbeginn an als trügerische Fassade wahrzunehmen, hinter der sich Unheil anbahnt.

Wie üblich komponierte Verdi das Preludio als Letztes, und er entschied sich, dafür ausschließlich musikalisches Material zu verwenden, das sich auf Violetta bezieht und doch im größtmöglichen Kontrast zu der Welt des sittenlosen Amüsements steht. Mit dem Vorspiel gibt Verdi bekannt, wie er seine Geschichte von der schwindsüchtigen Kurtisane verstanden wissen will: nicht als voyeuristische Parabel über das gerechte Ende von einer, die es nicht besser verdiente, sondern als Tragödie einer opferbereiten Frau, die an der Doppelmoral der Gesellschaft zugrunde geht.

Verdi beginnt das Preludio mit einem Zitat jener Passage, die den 3. Akt eröffnet und Violetta schlafend auf ihrem Sterbebett zeigt; daneben ist ihre Dienerin Annina auf einem Sessel eingenickt. Die Violinen spielen in hoher Lage einen choralartig homophonen vierstimmigen Satz, der wie das Wispern des anbrechenden Tages verstanden werden könnte und gleichzeitig doch vor allem unendliche Traurigkeit verbreitet. Mit der Wahl der Tonart c-Moll (die für das Preludio dann nach h-Moll transponiert wird) verweist Verdi auf die jahrhundertealte musikalische Tradition der Klage und der Trauer. »Estremamente piano e assai legato« (extrem leise und sehr gebunden) schreibt Verdi für diese sieben Takte vor, aus denen sich schließlich eine von Pizzicato-Akkorden in den tiefen Streichern begleitete Melodie in der ersten Violine heraus zu erheben beginnt. Alles an dieser Melodie ist abwärts gewendet und, wie auch schon der choralartige Satz zu Beginn, mit ebenfalls abwärts gerichteter Chromatik eingefärbt. »Dolente« (klagend) will Verdi diese Melodie gespielt wissen, und mit einer weiteren Verdüsterung hin zu f-Moll und As-Dur unterstreicht er die bedrückte Stimmung, die diese instrumentale Akteinleitung evoziert. Die wispernden, wie entrückten Violinklänge des Anfangs begleiten später auch das Zwiegespräch zwischen Violetta und Annina und erklingen ein letztes Mal, wenn sich der Arzt mit der Botschaft von Annina verabschiedet, Violetta habe nur noch wenige Stunden zu leben.

Wenn Verdi das Preludio seiner Oper mit diesem Beginn der Sterbeszene eröffnet, wenn er Violettas in jeder Hinsicht fiebriges Dasein, von dem die Oper handeln wird, von ihrem Sterben her erzählt, so lässt er von Anbeginn an keinen Zweifel daran, was ihn, jenseits allen Eklats, an der Geschichte von dem Niedergang einer Luxusprostituierten interessierte: nicht der öffentliche Skandal, sondern der private Leidensweg. Doch damit nicht genug. Zum zentralen Thema des Preludio machte Verdi Violettas Abschied von Alfredo im ersten Bild des 2. Aktes, in dem sie ihre ganze Verzweiflung artikuliert und gleichzeitig über sich selbst hinauswächst – jenes berühmte »Amami, Alfredo« (Liebe mich, Alfredo), mit dem sie von ihrem Geliebten scheidet, um sich für sein Glück und die Ehre seiner Familie zu opfern. Alfredos Vater Germont hat ihr aufgezwungen, aus Alfredos Leben für immer zu verschwinden, und sie ist nicht nur zum Verzicht bereit, sondern auch dazu, die Trennung so radikal zu vollziehen, dass Alfredo nicht anders kann, als in den Schoß seiner ehrbaren Familie zurückzukehren. Also schreibt sie ihm einen Abschiedsbrief mit der Nachricht, sie wolle ihr altes Leben wieder aufnehmen. Als Alfredo sie beim Schreiben überrascht, muss sie so tun, als wäre alles in Ordnung. Es gelingt ihr schlecht. Ein letztes Mal drängt sie Alfredo, ihr seine Liebe zu gestehen, und dann bricht es aus ihr heraus: »Liebe mich, Alfredo, wie ich dich liebe« – eine weit ausladende, »con passione e forza« (mit Leidenschaft und Kraft) zu singende Kantilene aus mehreren abwärts gerichteten melodischen Gliedern, die in kurze, gleichsam schluchzende Melodiepartikel mündet, so als könne Violetta nicht mehr weitersingen; sie bricht ihren Gesang mit einem abrupten Abschiedsgruß »Addio« denn auch ab und läuft davon (siehe S. 88).

Durch die Verwendung im Preludio wurde »Amami, Alfredo« zum musikalischen Emblem der Oper. Was aber bewog Verdi, unter den zahllosen eingängigen Melodien Violettas gerade diese für das Preludio auszuwählen? Einmal mehr trägt die dramatische Situation, in der Violetta diese Passage singt, zum Verständnis von Verdis Interpretation seiner Protagonistin bei. Denn »Amami, Alfredo« ist auch für die Rolle der Violetta emblematisch, wie Verdi sie sah: als eine ebenso leidenschaftliche wie hingegebene Frau, die ihre eigenen Bedürfnisse und Sehnsüchte hintanzustellen bereit ist, deren Generosität vergessen macht, dass sie sich ihre Liebesdienste lange Zeit hat reichlich vergüten lassen. Es ist der Moment des Verzichts, der Selbstentäußerung, den Verdi im Preludio betonen wollte.

Anders als im 2. Akt, wo Violettas leidenschaftlicher Ausbruch von dramatischen Streichertremoli begleitet wird, umgab Verdi ihn im Preludio

Christine Schäfer singt Violettas Cabaletta »Sempre libera« am Ende des 1. Aktes in der Pariser »Traviata«-Inszenierung 2007 von Christoph Marthaler. Die Harfe im Hintergrund begleitet Alfredo, dessen Liebesmelodie »Amor è palpito« von draußen hereinklingt.

Anna Netrebko als Violetta am Ende des 2. Aktes der Salzburger Inszenierung von 2005. Sie hat ihr rotes Kleid fortgeworfen und läuft vor Alfredo und der Gesellschaft auf Floras Fest davon, direkt in die Arme des Doktors, der in der Inszenierung den Tod symbolisiert.

Oben: Nicole Chevalier als Violetta in der Hannoveraner Inszenierung von Benedikt von Peter 2011 mit den Kostümen von Geraldine Arnold. ▪ Unten: Rolando Villazon als Alfredo auf Floras Maskenfest im 2. Akt der Salzburger Inszenierung von Willy Decker.

Willy Deckers Salzburger Inszenierung von 2005 mit Anna Netrebko als Violetta und Thomas Hampson als Germont lebt vor allem von einer pointierten Farbsymbolik: Auf klinisch weißer Bühne kontrastiert Violettas verführerisch rotes Kleid mit dem ehrbar schwarzen Anzug Germonts.

Oben: Christine Schäfer (Violetta) und Jonas Kaufmann (Alfredo) in Christoph Marthalers Pariser Inszenierung 2007. ▪ Unten: Ermonela Jaho (Violetta) und Roman Shulackoff (Alfredo) in einer Wiederaufnahme der Stuttgarter Inszenierung von Ruth Berghaus (1993) in der Spielzeit 2010/2011.

Oben: Eva Mei als Violetta in der Briefszene des 2. Aktes in der Züricher Inszenierung von Jürgen Flimm (Wiederaufnahme 2006). ▪ Unten: Ermonela Jaho als Violetta, Tito You als Germont im 2. Akt der Stuttgarter Inszenierung von Ruth Berghaus (1993) in einer Wiederaufnahme der Spielzeit 2010/11.

Rolando Villazon bereitet sich in der Künstlergarderobe des Großen Festspielhauses Salzburg auf seinen Auftritt als Alfredo vor. Die musikalische Leitung dieser Produktion übernahm kurzfristig, nach dem plötzlichen Tod von Marcello Viotti, Carlo Rizzi.

Oben: Das Finale des 2. Aktes in der Inszenierung des MIR Gelsenkirchen Ende 2011 von Michael Schulz, die Violettas Ausgestoßensein optisch sinnfällig macht. ▪ Unten: Rebecca Nelsen als Violetta in einem von Frank Philipp Schlößmann entworfenen Bühnenbild (Dresden 2009).

zunächst mit einer jener scheinbar harmlosen Hum-ta-ta-Begleitungen, für die er und mit ihm die vor allem im Deutschland Richard Wagners der Banalität verdächtigte italienische Oper des 19. Jahrhunderts lange Zeit berüchtigt war. Dass diese Begleitung in ihrer vermeintlichen Trivialität jedoch nicht unabsichtlich gewählt ist, wird spätestens deutlich, wenn die Passage nicht, wie im 2. Akt, kadenzierend zum Abschluss kommt, sondern in einen unerwarteten verminderten Akkord mündet, dessen schmerzliche Schärfe durch überraschende Tremoli in den Streichern unterstützt wird. Dieser jähe Einbruch macht der leiernden Gleichförmigkeit ein Ende. Wenn die Kantilene dann, nach einigen Takten der Unentschiedenheit, zurückkehrt, erklingt sie nicht wie beim ersten Mal in der hohen ersten Violine (unterstützt von Viola und Violoncello), sondern in Fagott und Violoncello (unterstützt von der Klarinette) so als höre man hier eine männliche Antwort auf Violettas Gesang. Gleichzeitig erklingt bei diesem zweiten Mal eine nervöse Gegenmelodie in den geteilten ersten Violinen im Oktavabstand, die an Violettas girrende Antwort auf Alfredos Liebeserklärung im 1. Akt gemahnt: »Amar non so, nè soffro un così eroico ardore« (Ich weiß nicht zu lieben, noch kann ich eine derart heroische Glut ertragen). Diesmal handelt es sich nicht um ein Zitat, sondern lediglich um eine melodische Anspielung; auch sie trägt freilich zur Charakterisierung Violettas durch das Preludio bei, bevor sie überhaupt die Bühne betreten hat. Es ist, als wolle Verdi diese scheinbar dahingeworfenen Worte der Lebedame Lügen strafen, wenn er sie gemeinsam mit »Amami, Alfredo« erklingen lässt. Auch in dieser Kombination zweier inhaltlich gegensätzlicher Momente in der Oper formulierte Verdi einen Kommentar darüber, wie er Violetta verstanden wissen wollte: Die Musik erzählt die Geschichte einer Läuterung, die dem tragischen Ende etwas Heroisches verleiht.

Das Preludio klingt mit einer zart im Staccato dahingetupften Sechzehntelfiguration in den ersten Violinen aus – »morendo« (sterbend), wie Verdi vorschreibt. Dieser Schluss schlägt noch einmal die Brücke zu dem im Pianissimo vorgetragenen Beginn in den hohen Streichern. Gleichzeitig öffnen diese Sechzehntel den Blick auf die folgende Introduktion, die ebenfalls mit Staccato-Linien beginnt und durch das Preludio auch tonartlich vorbereitet wurde: Anders als im 3. Akt eröffnet Verdi das Preludio in h-Moll, das sich später als Molldominante zu dem E-Dur der Kantilene erweist. Bis zum Ende des Preludio wird dieses E-Dur gefestigt; es leitet seinerseits als Dominante in die folgende Introduktion über.

Das Preludio, das Violettas Geschichte gleichsam in umgekehrter Reihenfolge darstellt, lässt diese, wenn sie sich dann auf der Bühne vollzieht, ihrerseits wie ein Flashback, wie eine Rückblende erscheinen. Gleichzeitig aber gelang es Verdi, mit dieser Rückblende die Struktur des Dumas'schen Romans musikalisch wiederzugeben; denn auch Dumas hatte seine Geschichte von der Kameliendame ja aus der Rückschau zu einem Zeitpunkt erzählt, als diese schon gestorben war. Im Schauspiel hatte er diese narrative Konstruktion preisgegeben und die Geschichte auf der Bühne gleichsam von Anfang bis Ende erzählt. Mit der musikalischen Gestaltung des Preludio konnte Verdi die Idee der Rückblende auch auf die Theaterbühne transferieren und gleichzeitig seinen eigenen musikalischen Kommentar zum Verständnis des Geschehens beitragen.

1. Akt

Nr. 2 Introduzione: Violettas Fest, Alfredos Trinklied »Libiamo ne' lieti calici« und Duett zwischen Violetta und Alfredo »Und dì felice, eterea«

Das Interieur ist exquisit, die Konversation belanglos: Wie gelingt es Verdi, den Smalltalk in Violettas Salon musikalisch zusammenzuhalten? Die Introduzione mit ihren wechselnden Situationen ist nicht von der Gesangsmelodie, vom Gefühlsausdruck einer Person, sondern vom Orchestersatz, gleichsam einem musikalischen Bühnenaufbau her strukturiert und wie symmetrisch um das Duett zwischen Alfredo und Violetta herum organisiert. Ein instrumentales Rahmenthema eröffnet und schließt die Introduzione und gibt den Blick auf das Partygeschehen frei; ein von einer Banda in der Handlung gespielter Walzer bildet die musikalische Kulisse für das Zwiegespräch der Protagonisten, aus der das Duett dann als ein intimer Moment in Großaufnahme hervortritt.

Steckbrief: Violetta Valéry

In all dem glitzernden Trubel des Pariser Nachtlebens ist sie die einsamste Frau der Welt. Tief in ihrem Inneren hat sich Violetta die Sehnsucht nach dem Traumprinzen bewahrt, der sie aus diesem oberflächlichen Leben der Soupers und der Bälle, der Spieltische und der Luxusbetten erlöst. In Alfredo glaubt sie ihn gefunden zu haben. Zwar weiß sie, dass ihr Dasein nur dem Vergnügen gewidmet ist, dem Rausch am Rande des Abgrunds. Aber sie ist bereit, alles für eine Liebe hinzugeben, die mehr ist als kurzlebiger Sinnentaumel.

Violetta ist eine Amüsierdame, aber eine, die nicht so recht in die Welt passen will, in der sie sich bewegt. Ihre Krankheit, die Schwindsucht, von der sie weiß, dass sie sie bald hinwegraffen wird, gibt ihr etwas Zerbrechliches, und auch wenn sie von Mitgefühl und Schutzbedürftigkeit nichts wissen will, so ist es doch Alfredos Fürsorge, die ihren Panzer aus Frivolität und Prunk zu durchbrechen vermag. Lange lässt sie ihn nicht an sich heran, besingt das Leben als »tripudio« (Freudentanz) und vergleicht die Sinnenlust mit einer Blume, die aufblüht und verwelkt. Und sie macht sich über Alfredo lustig, als er ihr von Liebe spricht, denn sie selbst, so macht sie ihm mit flatterhaften Koloraturen klar, könne nicht lieben. Ihr Leidensweg beginnt, als sein Werben dann doch jene Gefühle in ihr weckt, die sie erfolgreich unterdrückt zu haben glaubte. Denn ihre Liebe darf nicht sein; sie trifft auf die Moral einer Gesellschaft, in der für Frauen wie sie kein Platz ist. Violetta, die sich ihr kostspieliges Leben von Männern gewerbsmäßig hat bezahlen lassen, ist nicht nur bereit, all diesen Reichtum für ihr privates Glück hinzugeben, sondern schließlich auch, um dieser Liebe willen auf ihr eigenes Glück zu verzichten.

Wie bitter ist darum die Erkenntnis, dass es in einer Gesellschaft, die Frauen in reine Engel und verdorbene Verführerinnen unterteilt, für letztere keinen Neuanfang geben kann. Violettas Traum von einem Leben, das ihr erlaubt, weder das eine noch das andere, sondern eine liebende Frau jenseits der gesellschaftlichen Zwänge zu sein, zerplatzt, als sie mit den Folgen ihrer Entscheidung für den geliebten Mann und seine Familie konfrontiert wird. Mag sie noch so leidenschaftlich darauf bestehen, dass ihr Entschluss, für Alfredo alles aufzugeben, ihr lasterhaftes Vorleben auslösche, so muss sie doch erkennen, dass sie für andere immer die Gefallene bleiben wird. Es gelingt Alfredos Vater Germont, ihr seine Moralvorstellungen zu diktieren und sie zur Trennung von seinem Sohn zu zwingen. Die Radikalität, mit der die verzweifelte Violetta diese Trennung inszeniert, übersteigt dann freilich selbst die Vorstellungskraft dessen, der sie von ihr gefordert hatte.

Wie tröstlich ist deshalb die Hoffnung, dass im Himmel jene Vergebung wartet, die ihr im Leben nicht zuteil wird. Der Glaube an einen Gott, der gerechter ist als die Sittenwächter auf Erden, gibt Violetta die Kraft, ihr im doppelten Sinne fiebriges Leben zu ertragen. Hadert sie im Duett mit Germont noch damit, dass der Mensch unerbittlicher ist als Gott im Himmel, so ist ihr Abschied von der Welt, ihr »Addio, del passato« auf dem Sterbebett, ein Gebet voller Vertrauen darauf, dass die »Traviata«, die vom Wege Abgekommene, im anderen Leben Gnade erhoffen darf. An ihrem Lebensanspruch scheitert Violetta; durch ihren Tod aber erfüllt sich ihre Liebe so umfassend, wie sie sich im Leben niemals hätte entfalten können.

Anna Netrebko als Violetta in Günter Krämers Münchner Inszenierung von 2003 mit einem leuchtend grünen Glas in der Hand.

Ein mit Trillern und Appoggiaturen verziertes, hüpfendes Unisono als musikalischer Boden für das gesellige Beisammensein kehrt wie ein Ostinato immer wieder, zunächst in den Holzbläsern, begleitet von hin und her trappelnden Achtelbewegungen im Blech und im Schlagwerk, sodann im vollen Orchester und schließlich, wenn das Geplauder beginnt, auf einen kammermusikalischen Streichersatz reduziert. Wenn dann aber Gastone mit Alfredo erscheint, schweigt dieser zappelige Ostinato; obwohl sich der Konversationston in den Singstimmen nicht ändert, nimmt der Zuhörer durch den veränderten Duktus des Orchesters doch wahr, dass sich hier etwas anbahnt, das anders ist als das oberflächliche Amüsement. Der lärmende Ostinato kehrt zurück, wenn das Gastmahl beginnt, macht erneut dem intimeren Ton der zweiten Passage Platz, wenn Gastone Violetta von Alfredos Verehrung erzählt, und leitet schließlich in den berühmten Brindisi, Alfredos Trinkspruch, über – eine jener so überaus eingängigen melodischen Erfindungen, für die Verdi bewundert und verachtet wurde:

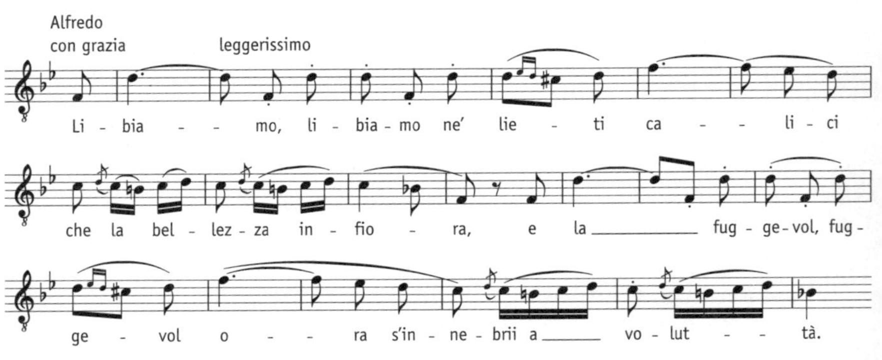

Der Brindisi ist aber mehr als eine musikalische Einlage auf einem Fest; hier bahnt sich das Drama zwischen Violetta und Alfredo an, denn es bleibt nicht bei seinem Trinkspruch: Violetta antwortet ihm mit einer zweiten Strophe, und in einer dritten entspinnt sich ein kurzes, aber vielsagendes Zwiegespräch zwischen den beiden mit Positionen, die auch das folgende Duett beherrschen werden: Alfredo liebt Violetta, Violetta liebt das Vergnügen. Mit dem Walzer, der jetzt aus dem Nebenzimmer zu hören ist, ändert sich zwar die Taktart, nicht aber die musikalische Organisation der Szene. Auch der Walzer lebt von Trillern und Appoggiaturen, und auch diesmal entwickelt sich das Bühnengeschehen im Konversationston auf der musikalischen Grundlage des Tanzes. Der Walzer schweigt, wenn Alfredo zu seiner Liebeserklärung »Un dì felice, eterea« ansetzt. Wie im Brindisi entwickelt sich aus einer Arien- eine Duettsituation, und wie dort steht einem sehnsüchtigen Liebhaber eine flatterhafte Lebedame gegenüber.

Mit großer kompositorischer Raffinesse aber beschreibt Verdi, wie Violettas Widerstand gegen die Vorstellung einer echten Liebe schwächer wird. Alfredo beginnt zögernd, in mittlerer Lage, mit vielen kurzen Pausen durchsetzt, gleichsam um Worte ringend, rafft sich dann aber zu großem Überschwang bei jener Melodie auf, die das musikalische Motto für die Liebe werden soll: »Di quell'amor ch'è palpito«. Violettas Antwort scheint unmissverständlich: Zur Begleitung der Holzbläser, von denen Flöte und Klarinette ihre spöttischen, fast ein wenig ordinären Koloraturen doppeln, wehrt sie Alfredos Ansinnen ab; zwischen seinem elegischen und ihrem überdrehten Gesang liegen Welten, ebenso wie zwischen den Ansprüchen aneinander. Oder doch nicht? Verdis Musik spricht eine andere Sprache als der Text, in dem Violetta Alfredo rät, sich eine andere, für seine Liebe eher geeignete Frau zu suchen. Denn als Alfredo nicht müde wird, sein »croce e delizia al cor« (Freude und Leid

Steckbrief: Gastone, Visconte de Letorières

Als Einziger der Lebemänner im Umkreis Violettas und Floras präsentiert sich Gastone mit einer eigenen musikalischen Nummer: Er führt den Chor der Matadore auf Floras Maskenball an und singt das spanisch gefärbte Lied von dem schönen Stierkämpfer Piquillo. Er nimmt seinen Freund Alfredo zu Violetta mit und wirbt bei ihr für ihn; er spielt Alfredo die Idee zu, das Trinklied zu singen, und er bittet ihn auf Floras Fest, Violetta in Ruhe zu lassen. Umsonst – er kann sich nur in die Gruppe derer einreihen, die Violetta nach ihrer Ohnmacht wieder aufrichten.

dem Herzen, wörtlich: Kreuz und Entzücken) wie ein Mantra zu wiederholen, scheint sich Violetta nach und nach seinem Werben zu öffnen: Ausgerechnet bei dem Wort »dimenticarmi« (mich vergessen) verbindet sie sich mit Alfredos »croce e delizia« zu parallelen Sexten – die erste gemeinsame Passage in diesem Duett überhaupt; und mag sie auch ihr »dimenticarmi« nicht minder beharrlich wiederholen, so lässt die Musik mit ihrer chromatisch abfallenden, von kleinen Seufzerpausen unterbrochenen Gesangslinie doch mit großer Deutlichkeit hören, wie ihr Widerstand schwindet. Die Musik glaubt ihrer verbalen Beteuerung schlichtweg nicht. Wenn dann die Tür aufgeht, der Walzer erneut aus dem Nebenzimmer zu hören ist und die Partygäste vom Tanz erhitzt zurückkommen, kann Violetta sich wieder auf ihre Rolle als umschwärmter Mittelpunkt des Nachtlebens besinnen. In der Stretta dell'introduzione schließlich kehrt das Ostinato-Thema vom Anfang noch einmal zurück und rundet das Fest ab.

Nr. 3 Finale primo: Scena ed Aria Violetta »È strano – Ah, fors'è lui che l'anima«

Es ist eine der Standardsituationen in der italienischen Oper des 19. Jahrhunderts: die große Soloszene der Protagonistin, bestehend aus Rezitativ, langsamer Arie, Rezitativ, schneller Arie. In Verdis Vertonung wird daraus eine vielschichtige Konfiguration – ein Psychogramm Violettas, ein Sittenbild der Pariser Halbwelt, ein szenischer Theatercoup. Dabei erweist sich diese Szene bei näherem Hinsehen zunächst als eine musikalische Anlage von fast bestürzender Simplizität. Der Tonartenplan ist mehr als schlicht: das Cantabile in Moll, die Cabaletta im parallelen Dur; selten streift die Harmonik andere als die Hauptfunktionen. Das Cantabile ist strophisch, und auch die Melodieführung lebt von Wiederholungen und regelmäßiger Periodik. Die Aufgaben sind zwischen Singstimme (Melodie) und Orchester (Begleitung) klar verteilt. Wie kann aus so schlichtem Material eine Szene von so erschütternder Eindringlichkeit werden?

Anders als in der vom Orchestersatz her aufgebauten Introduzione gestaltet Verdi Violettas Soloszene ganz vom Gesang aus. Dabei lässt der tonartliche Rahmen aufhorchen: As-Dur, die Tonart der Cabaletta, mit der auch die Scena beginnt, ist für das Loblied auf die freie Liebe ebenso ungewöhnlich wie das f-Moll des Cantabile für die Sehnsucht nach wahrer Liebe; beide Tonarten gehören traditionell in den Affektbereich der Todesnähe (siehe S. 60 f.). Zwischen diese beiden Tonarten, die vielleicht schon auf das nahe Ende der tuberkulosekranken Violetta und auf die Aussichts-

Steckbrief: Alfredo

Verdient er die Liebe, die Violetta ihm bis zur Selbstaufgabe schenkt? Gewiss ist Alfredo, der junge, mit den Usancen des Nachtlebens noch unvertraute Mann aus der Provinz, ein liebenswerter Unterhalter, der eine Gesellschaft mit improvisierten Trinkliedern begeistern kann. Und er weiß, wie man Frauen verführt; seinem zärtlichen Flehen in »Un dì felice, eterea« kann man sich ebenso wenig entziehen wie der bebenden Leidenschaft, mit der er das ganze Universum zum Bürgen seines Gefühlsüberschwangs macht. Nicht ohne Grund wird die Melodie seines »Di quell'amor ch'è palpito« zum musikalischen Motto der ganzen Oper. Aber Liebe? Kaum dass Alfredo Violetta erobert hat, gelten seine Gedanken eher dem eigenen Behagen als ihrem Glück. Sein Schwärmen von den Wonnen der Zweisamkeit des Landlebens zu Beginn des 2. Aktes handelt nur von den Freuden, die sie ihm bereitet – kein Gedanke an Violettas Bedürfnisse und Erwartungen an ihn. Umso heftiger fällt dann seine Reaktion auf Anninas Bekenntnis aus, Violetta verkaufe ihr Hab und Gut, um das ländliche Liebesidyll zu finanzieren. Zwar macht Alfredo sich nun bittere Vorwürfe, doch gilt seine Schamröte nicht Violetta und seiner eigenen Gedankenlosigkeit, sondern dem »grido dell'onore«, dem Aufschrei seiner eigenen Männerehre, die nur durch die Übernahme der Kosten durch ihn selbst wiederhergestellt werden kann. Gepaart mit der Eifersucht auf den vermeintlichen Nebenbuhler, den Baron Douphol, wird daraus eine explosive Mischung. Außer sich vor Wut und Schmerz vergisst Alfredo nicht nur seine gute Erziehung, sondern auch den Ehrenkodex der Pariser Halbwelt, als er Violetta in aller Öffentlichkeit das eben im Spiel gewonnene Geld als Lohn für abgeleistete Liebesdienste vor die Füße wirft. Um Violettas Gefühle kümmert er sich nicht – nicht einmal, als ihm zu Bewusstsein kommt, wie sehr er sich danebenbenommen hat. Und er kehrt auch erst zu ihr zurück, als ihn der Vater über Violettas Opfer aufgeklärt hat. Da aber ist es zu spät; er kann ihr nur noch das Gefühl geben, wirklich geliebt zu werden. Alfredo ist jung, ungestüm und besitzergreifend; und fast hat man in der Sterbeszene den Eindruck, als würde Violetta ihn trösten und nicht umgekehrt. Verdient er diese Liebe? Nur Violetta selbst hätte diese Frage beantworten können.

losigkeit dieser Liebe verweisen, schiebt sich freilich das lichte F-Dur von Alfredos Liebeserklärung »Di quell'amor ch'è palpito« – hier als Vision eines besseren Daseins und so, als gehöre diese emphatische Melodie Violetta mindestens so sehr wie Alfredo. Doch nachdem sie, am

Ende der zweiten Strophe des Cantabile, ihrem eigenen Gesang nachgelauscht hat, wird ihr plötzlich klar, dass diese Träume für eine wie sie nur töricht sind: »Follie, follie!« (Unsinn, Unsinn!) unterbricht sie ihre eigenen Wunschbilder. An dieser Stelle, zu Beginn des zweiten Rezitativs, wechselt Verdi abrupt von F-Dur nach A-Dur (als Dominante zu d-Moll), der Tonart von Violettas Fest, und nimmt hier schon vorweg, was Violettas bittere Erkenntnis sein wird: dass es für sie Vergnügen und Lust, aber keine Liebe geben kann. Nach ihren trüben Gedanken über ihre Einsamkeit inmitten jenes »popoloso deserto« (der Wüste von Menschen), musikalisch durch tremolierende Streicher symbolisiert, und über das Vergnügen, das im Fortissimo in Es-Dur, der Tonart des Walzers im

Plácido Domingo, der die Rolle des Alfredo zum ersten Mal 1961 gesungen hatte, in der »Traviata«-Verfilmung von Franco Zeffirelli aus dem Jahre 1982.

1. und im 2. Akt, über ihr hereinbricht, als wäre es ein Schicksalsschlag, kann ihre Cabaletta, so virtuos und brillant sie daherkommt, nicht mehr allein als Ausdruck einer frivolen Lebenslust gehört werden. Zwar deuten die Triller und Appoggiaturen ebenso wie der Walzerrhythmus einmal mehr auf die ewige Feierlaune der Demi-Monde hin, doch ist der hoffnungslose Unterton dieser aufgesetzten Fröhlichkeit kaum zu überhören – und wird vollends manifest, wenn Alfredos Liebesmelodie plötzlich noch einmal von der Straße heraufklingt und Violetta überrascht innehält. Ihre verzweifelten Versuche, Alfredos Gesang mit ihren eigenen halsbrecherischen Koloraturen zu übertönen, können nicht verhehlen, dass sie damit vor allem ihre erwachten Gefühle und Sehnsüchte zum Schweigen bringen möchte.

2. Akt

Nr. 4 Scena ed Aria Alfredo »Lunge da lei per me non v'ha diletto – De' miei bollenti spiriti«

Siehe S. 49.

Nr. 5 Scena e Duetto Violetta und Germont »Alfredo? Per Parigi or or partiva – Pura siccome un angelo«

Das Duett zwischen Violetta und Germont ist das Herzstück von *La Traviata.* Es ist die längste der elf Nummern der Oper, der Moment, in dem das Salonstück in eine Tragödie umschlägt, in dem zwei Welten, Leidenschaft und Wohlanständigkeit, Gefühl und Moral, aufeinanderprallen. Verdis Musik ist so nah an der dramatischen Entwicklung, an dem emotionalen und verbalen Schlagabtausch der um ihre gänzlich unvereinbaren Positionen ringenden Protagonisten, dass sie sich weit von den »solite convenienze«, der üblichen Form des Duetts entfernt. Dass dieses Duett etwas

Steckbrief: Marchese d'Obigny

Unter den Herren der Gesellschaft, die sich ihr Vergnügen im Pariser Nachtleben etwas kosten lassen, ist er der Belangloseste. Immer in Floras Schlepptau, beherrscht er den Smalltalk der nächtlichen Feste. Mehr erfahren wir über ihn nicht.

bahnbrechend Neues darstellte, hatten schon die Zeitgenossen bemerkt; Abramo Basevi, der 1859 – sechs Jahre nach der Uraufführung von *La Traviata* – die erste große Werkmonografie über Verdis Opern schrieb, war sich nicht sicher, ob er die Vielfalt der melodischen Erfindungen bewundern oder die daraus resultierende Undeutlichkeit der Form beanstanden sollte. Tatsächlich dehnte Verdi das gängige Konzept bestehend aus rezitativischer Scena, sodann einem vierteiligen Duett mit Einleitung (»Tempo d'attacco«), Cantabile, Mittelteil (»Tempo di mezzo«) und Cabaletta so weit aus, dass diese Formteile in einem großen dramatischen Dialog aufgingen.

Die Beobachtung, dass der dramatische Dialog den musikalischen Verlauf bestimmt und nicht umgekehrt, bedeutet allerdings nicht, dass diesem scheinbar freien Spiel der Argumentationen nicht ein bis ins Detail kalkuliertes musikalisches Formkonzept zugrunde läge. Das beginnt bereits bei den Versmaßen der Textvorlage. Beiden Kontrahenten gemeinsam sind die Rezitativverse in den traditionellen Elf- bzw. Siebensilblern. In den ariosen Abschnitten aber trennen sich Violettas und Germonts Welt. Germont bleibt sich während des gesamten erregten Zwiegesprächs immer treu und äußert sich mit schier unbelehrbarer Beharrlichkeit in ein und demselben Versmaß – der Kombination eines daktylischen mit einem regulären Siebensilbler:

Pura siccome un angelo	Rein wie ein Engel,
Iddio mi diè una figlia	Gab Gott mir eine Tochter

Violetta dagegen ist flexibler: Sie antwortet Germont zunächst mit Achtsilblern (»Non sapete quale affetto«), später sogar mit Strophen aus jenen gravitätischen Elfsilblern, die in der italienischen Literatur seit Dantes *Divina commedia* die ernste Dichtung beherrschten, die hier allerdings zu fünfsilbigen Doppelversen (»Così alla misera / ch'è un dì caduta«) aufgespalten sind. In dem Moment aber, als sie sich entschließt, sich für Alfredo, und das heißt auch: für Germonts Welt, zu opfern, übernimmt sie Germonts Versmaß und macht auf diese Weise durch ihre Sprache deutlich, in welcher Welt sie sich nunmehr bewegt:

Morrò! … la mia memoria	Ich werde sterben! … Er soll mein Andenken
Non fia ch'ei maledica.	nicht verwünschen.

In derselben Weise bleibt aber auch Germont von Violetta nicht unbeeindruckt, denn er übernimmt seinerseits an einer entscheidenden Stelle »ihr« Versmaß, als er begreift, welches Opfer sie für seine Welt zu bringen bereit ist. Für wenigstens eine Strophe greift er ihre Elfsilbler auf – es

Librettoverse und wie man sie zählt

Die italienische Metrik gehorcht gänzlich anderen Gesetzen als die deutsche. Während diese Hebungen und Senkungen zählt, richtet sich die italienische nach der Silbenzahl. Traditionell bestehen Rezitativverse aus sieben bzw. aus elf Silben; wo zwei Vokale, wie etwa bei »Addio«, aufeinandertreffen, kann die entsprechende Stelle je nach Bedarf entweder als eine (»Ad-dio«) oder als zwei Silben (»Ad-di-o«) gewertet werden. Weil die Rezitativverse außerdem keinen durchgängigen Versfuß wie etwa einen Jambus (kurz-lang) oder einen Daktylus (lang-kurz-kurz) aufweisen müssen, entsteht aus der Kombination dieser Verse oft so etwas wie gefühlte Prosa.

Arientexte bestehen zu Zeiten Verdis zumeist aus gleich langen Versen mit gerader Silbenzahl (sechs, acht oder zehn) und erkennbaren Versfüßen. Dabei zeichnet sich der italienische Vers durch eine Besonderheit am Versende aus: Die normale Form nennt sich »piano« (»eben«) und trägt den Hauptakzent auf der vorletzten Silbe; fällt diese fort, wird aus demselben Vers ein »tronco« (»abgeschnitten«), der mit betonter Silbe endet; folgen dem Hauptakzent zwei unbetonte Silben, heißt der Vers »sdrucciolo« (»rutschend«). Da die Silbenzählung sich aber nach der normalen Form richtet, hat ein Tronco-Elfsilbler eine Silbe weniger, also nur zehn Silben und ein Sdrucciolo-Elfsilbler eine Silbe mehr, also zwölf. Die metrische Variabilität der italienischen Dichtung wird an dem Vers(paar) »Così alla misera / ch'è un dì caduta« besonders deutlich: Bestehend aus einem Sdrucciolo-Fünfsilbler und einem Piano-Fünfsilbler lässt er sich entweder als fünfsilbiges Verspaar (5s+5p) oder als Elfsilbler (6+5=11p) lesen.

ist eine der seltenen Passagen in diesem Duett, in dem tatsächlich zweistimmig und nicht dialogisch nacheinander gesungen wird.

So deutlich das Libretto hörbar macht, wer der Sieger in dieser Auseinandersetzung sein wird, so eindeutig nimmt dagegen Verdis Musik für Violetta und ihren Kampf um das Glück ihres Lebens, und sei es noch so gefährdet, Partei. Ebenso unwandelbar wie seine textlichen sind auch Germonts musikalische Äußerungen in dem Duett – lauter kurze in sich geschlossene Arien mit simpler Begleitung, schematischer Periodik und schablonenhaften Wiederholungen. Von der Walzerseligkeit der Pariser Halbwelt weiß Germont nichts – wenn er den Ton im Gespräch angibt, herrscht strenge Geradtaktigkeit. Das Korsett der Reputierlichkeit schnürt auch die Musik ein.

Ganz im Gegensatz dazu Violetta: Wie sehr sie mit jeder Faser ihrer Seele und mit allen Mitteln der Überzeugungskraft um ihre Liebe kämpft, macht Verdi auch dadurch deutlich, dass bei ihren Äußerungen die Grenzen zwischen Rezitativ und Arie fast überall fließend sind. In den rezitativischen Passagen tendiert ihre Deklamation immer zu ariosem Cantabile und zu leidenschaftlichen Ausbrüchen, etwa wenn sie Germont gleich zu Beginn in einer unerwarteten, ebenso kurzen wie vielsagenden Koloratur wissen lässt, wie groß ihre Liebe zu Alfredo ist – so unabänderlich, dass Gott ihr Vorleben ausgelöscht habe.

Und während Germont die geraden Takte bevorzugt, äußert sich Violetta über weite Strecken in jenen 6/8-Metren, die aus ihrem früheren Leben herüberwehen – nun allerdings zu tragischem Pathos eingetrübt. Die gehetzte, »agitato« überschriebene und in der traditionellen Klagetonart c-Moll stehende Passage »Non sapete quale affetto« (Ihr wisst nicht, welches Gefühl), mit der sie Germont von der Wahrhaftigkeit ihrer Liebe überzeugen will, gehört zwar zu den ariosen Abschnitten, wirkt in ihrer erregten syllabischen Deklamation mit diesem kleinen wie zitternden Melisma zunächst fast wie ein rezitativischer Abschnitt, bevor sich Violetta dann, nach C-Dur gewendet, zu großer Emphase steigert.

Es ist aber vor allem die Peripetie, der Umschlag der Handlung, dem Verdi besondere Aufmerksamkeit zuteilwerden ließ. Violetta gibt dem Verlauf des Rededuells die entscheidende Wende. Und sie tut es, anders als dies üblich wäre, inmitten eines zweistrophigen Textes, der nach dem Willen des Librettisten wohl eher als Arie hätte vertont werden sollen.

(da sè, con estremo dolore)	(für sich, mit äußerstem Schmerz)
Così alla misera, ch'è un dì caduta,	So ist für die Unglückliche, die eines Tages strauchelte,
Di più risorgere speranza è muta!	Die Hoffnung, wieder aufzustehen, stumm!

Se pur benefico le indulga Iddio,
L'uomo implacabile per lei sarà.

Wenn auch Gott ihr gnädig vergibt,
Wird der Mensch ihr gegenüber unversöhnlich sein.

(a Germont, piangendo)
Dite alla giovine sì bella e pura
Ch'avvi una vittima della sventura,
Cui resta un unico raggio di bene
Che a lei il sacrifica e che morrà.

(zu Germont, weinend)
Sagt der Jungfrau, so schön und rein,
Dass es ein Opfer des Unglücks gibt,
Dem ein einziger Glücksstrahl bleibt,
Dass sie ihr diesen opfert und stirbt.

Verdi verlegte die wichtigste Zäsur des Duetts, Violettas Entschluss, sich zu opfern, zwischen die beiden Strophen. »Così alla misera« bildet das Ende von Germonts Belehrungen über die Flüchtigkeit des sinnlichen, von Gott nicht gesegneten Begehrens. In des-Moll, einer düsterer kaum vorstellbaren Tonart, unterbricht sie mit einer langgezogenen, abwärts gerichteten Melodie sein selbstgerechtes Räsonnement, und auch wenn sie seine Taktart beibehält, so ändert sich doch musikalisch nahezu alles. Flöte, Oboe und erste Violine umgeben Violettas Klagegesang unisono wie ein Schutzmantel; sie schirmen ihren existenziellen Schmerz gegen die dramatischen Tremoli in den mittleren und die drohenden Pizzicato-Läufe in den tiefen Streichern ab und ignorieren mit ihrer Betonung und Verstärkung von Violettas Kantilene auch die eifernden Sechzehntel- und Achtel-Einwürfe Germonts, der sich gegen die geballte Klangfülle kaum mehr durchsetzen kann. In der zweiten Strophe »Dite alla giovine« kommt Violetta dann ganz zu sich selbst; der Wechsel zu »ihrem« $^6/_8$-Metrum, verbunden mit einem Wechsel des Tempos, der Tonart und einem nunmehr geordneten Arienaufbau mit Gesangsmelodie und Streicherbegleitung vermittelt den Eindruck, sie habe sich gefangen und sei nun Herrin der Situation.

Von diesem Moment an gibt Violetta buchstäblich den Ton an, und Germont ist gezwungen, ihr zu folgen. Ausgerechnet von dieser entschlossenen Haltung, so verzweifelt sie auch vorgetragen wird, ist Germont so beeindruckt, dass ihn das Mitgefühl übermannt. Die Wiederholung von »Dite alla giovine«, in die sich seine anteilnehmenden und aufmunternden Kommentare mischen, ist die längste zweistimmige Passage in dem gesamten Duett. Violetta behält auch dann noch die musikalische Oberhand, als sie sich mit »Morrò … la mia memoria« den Forderungen der bürgerlichen Welt anheim gibt. Zwar äußert sie sich nicht nur in Germonts Siebensilblern, sondern auch in »seinem« geraden Takt, doch der leidenschaftliche Duktus, die breitflächige Melodie gemahnen eher an ihr »Dite alla giovine« als an Germonts kleingliedrige Wortkaskaden. Das Ende

Steckbrief: Germont

Er ist die fleischgewordene Ehrbarkeit. Germont, Alfredos Vater, der sich von der Provence aus in den Sündenpfuhl namens Paris begibt, um seinen Sohn aus den Fängen einer sittenlosen Prostituierten zu befreien, erreicht zwar, was er sich vorgenommen hat. Dabei aber gerät seine aus gesellschaftlichen Zwängen und Moralvorstellungen festgefügte Welt ins Wanken. Zunächst weicht die abgrundtiefe Verachtung, mit der er Violetta beim ersten Zusammentreffen begegnet, zunehmend einer Hochachtung vor dieser doch offenbar gar nicht so liederlichen jungen Frau, die bereit ist, ihr eigenes Lebensglück im Namen der guten Sitten zu opfern. Er ist sogar bereit, sie wie eine Tochter zu umarmen, als sie ihn, um Kraft für ihr Opfer ringend, darum bittet. Sodann muss der wackere Alte aus der Provinz erkennen, dass seine Intrige aus dem Ruder läuft, denn als Alfredo erfährt, dass Violetta ihn verlassen hat, ist er keineswegs gewillt, wie erhofft in den Schoß der Familie zurückzukehren, und weist auch die Tröstungsversuche des Vaters von sich. Schließlich muss Germont auf Floras Fest sogar miterleben, wie Alfredo alle guten Manieren vergisst und Violetta in seiner blinden Wut vor aller Augen demütigt.

Es braucht etwas Zeit, bis Germont die Konsequenzen aus der Erkenntnis zieht, dass sich die Welt nicht so einfach in Gut und Böse einteilen lässt, wie es in seinen Wertvorstellungen der Fall gewesen war. Bei Flora, wo er im Angesicht von Violettas Schmerz seine Tat hätte aufklären können, schweigt er noch. Doch irgendwann siegt sein Anstand über die Tugendwächterei. Sein Entschluss, die Verantwortung für das Geschehene zu übernehmen, Alfredo über seinen Anteil an Violettas Handeln aufzuklären und Violetta einen Brief zu schreiben, in dem er um Verzeihung bittet, lässt Germont über sich selbst hinauswachsen. Es ist seine Tragik, dass seine Reue zu spät kommt; er wird mit der Schuld, Violettas letzte Lebensphase mit Unglück überschattet zu haben, leben müssen. So unterschiedlich ihre Welten auch sein mögen – Germont ist vielleicht der einzige, der Violetta ebenbürtig ist: in seinem unbedingten Willen, für das zu kämpfen, was ihm wichtig ist, und in seiner Bereitschaft, dazuzulernen.

des Duetts ist abrupt. Violetta drängt Germont förmlich aus dem Raum, doch es scheint, als könnten die beiden sich nun, da Violettas Opfer beschlossen ist, kaum trennen. Die Abschiedsworte werden wieder und wieder wiederholt; das Orchester verstummt bis auf ein paar dürre Pizzicato-Akkorde – die Zeit scheint innezuhalten. Es dauert, bis sich Violetta und Germont zu einem letzten gemeinsamen »Addio« aufraffen und das volle Orchester im Fortissimo das Duett beenden kann.

Nr. 6 Scena Violetta »Dammi tu forza, o cielo« und Scena ed Aria Germont »Ah, vive sol quel core all'amor mio – Di Provenza il mar, il suol chi dal cor ti cancellò?«

So lang das vorangehende Duett ist – so kurz ist die anschließende Szene, in der Violetta ihren Abschied von Alfredo vorbereitet. Sie setzt sich, schreibt einen Brief und klingelt nach Annina, schreibt einen weiteren Brief und verbirgt diesen vor Alfredo. Das Libretto sieht nur rezitativische Dialoge vor, ohne den Anflug irgendeiner Arie: eine kurze Anweisung Violettas für Annina, ein etwas längeres, aber nicht minder wortkarges Gespräch mit Alfredo. Kaum einmal fügt sich eine Bemerkung zu einem vollständigen Vers; es ist, als ob es Violetta die Sprache verschlagen hätte. Man muss sich, was sie da schreibt, aus dem, was später passiert, zusammenreimen: Der erste Brief ist wohl an den Baron Douphol gerichtet und enthält das Angebot, mit ihm auf Floras Fest am Abend zu gehen, der zweite an Alfredo. Ebenso kurz angebunden wie die Sprache ist die Musik – das Orchester schweigt, wenn Violetta Annina knappe Anweisungen gibt, kommentiert in keiner Weise Anninas Erschrecken, als sie die Briefadresse liest; es setzt erneut aus, wenn Alfredo den Besuch seines Vaters ankündigt. Aber es gibt seine Kommentare, während Violetta ihre fatalen Briefe schreibt – mit unheilschwangeren Trommelwirbel-Floskeln in den Streichern, als Violetta ihren Brief an den Baron verfasst, und ein weiteres Mal, als Alfredo sie überrascht, dazwischen, während Violetta an Alfredo schreibt, mit einer nur sehr karg begleiteten, klagenden Melodie in der Soloklarinette. In dieser Melodie ist alles enthalten, was sie nicht verbalisieren kann.

Während Violetta nicht mehr als ein paar dürre Silben herausbringt, öffnet die Klarinette den Blick auf ihr Inneres. Dieses bricht sich Bahn, als sie Alfredo wider besseres Wissen verspricht, sich seinem Vater zu Füßen zu werfen; allmählich verdichtet sich ihre Sprache zu arioser Deklamation; die Streicher formieren sich zu einer stützenden Begleitung nach Art einer Arie und halten den immer wieder stockenden Dialog zwischen Violetta und Alfredo zusammen, bis Violetta schließlich in jenes »Amami, Alfredo« (siehe S. 64) ausbricht, das Verdi auch in das Preludio übernahm. Alle Leidenschaft, alle Verzweiflung, die ganze Tragödie der Violetta, die ihre Liebe nur dadurch leben kann, dass sie sie verrät, manifestiert sich in diesen 18 Takten.

Allein zurückgeblieben lässt Alfredo erkennen, dass er nichts begriffen hat. Selbstzufrieden blättert er in einem Buch, und nur das Orchester macht mit immer neuen, immer bedrohlicheren Motiven darauf aufmerksam, dass Gefahr im Verzug ist. Die Nachricht, dass Violetta ihn verlassen habe, trifft ihn unvorbereitet und wie ein Schlag – mit einem Fortissimo-Akkord des vollen Orchesters. Mit seiner Arie »Di Provenza il mar, il suol« über die Vorzüge der heimatlichen Provence versucht Germont seinen Sohn zu beruhigen; einmal mehr ergeht er sich in liedhaft schlichter, fast volkstümlicher, vor allem aber auch nichtssagender Melodik – deutlicher als mit dieser zu Herzen gehenden, aber der Situation völlig unangemessenen Arie hätte Verdi nicht zum Ausdruck bringen können, wie wenig Germont von dem Verhängnis versteht, dessen Urheber er ist – oder wie wenig er verstehen will, denn sein Anliegen ist es ja, Alfredo zur Vernunft zu bringen. Das, was seine Cabaletta hätte sein sollen, »No, non udrai rimproveri« (Nein, du wirst keine Vorwürfe hören), und dem Sänger Gelegenheit geboten hätte zu brillieren, geht ebenfalls nicht über ein gemessenes Tempo und eine weitgehend koloraturenfreie Deklamation hinaus. Kein Wunder, dass sich der Sänger der Uraufführung über diese Partie beschwerte und den Misserfolg der Oper mit dem Fehlen einer anständigen Arie für Bariton erklärte. Germont bemerkt erst sehr spät, dass Alfredo, getrieben von wilder Eifersucht, ihm gar nicht zuhört. Zum Klang ungebärdiger Triolenfigurationen, spannungsgeladener Streichertremoli, rasender Läufe auf- und abwärts in Bläsern und Streichern stürzt Alfredo Violetta hinterher.

Nr. 7 Finale secondo: Floras Fest

Auf die Frage, warum das Finale des 2. Aktes, das doch an einem anderen Ort spielt als zuvor, nicht als eigenständiger Akt gelten kann, gibt es eine

Steckbrief: Flora Bervoix

Flora ist Violettas Weggefährtin und ihr Gegenbild – eine Kurtisane, die nichts anderes sucht als das Vergnügen. Sie hat in der Oper nur eine kleine Rolle, immer am Arm des Marchese, ihres derzeitigen Liebhabers, immer zu Scherzen und Unterhaltung aufgelegt. Auf dem Maskenball in ihrem Haus lässt sie sich von den Zigeunerinnen die Hand lesen und erfährt, was sie schon weiß: dass der Marchese nicht immer treu ist. Sie ist es, die Violetta mit Alfredo zu ihrem Fest einlädt, und sie beschwört die Katastrophe damit unwillentlich herauf. Dass unter ihrer fröhlichen Oberflächlichkeit auch Mitgefühl zu finden ist, verrät sie hier und da, wenn sie Violetta besorgt nach ihrem Befinden fragt und sich mit ihren Gästen um die Ohnmächtige kümmert, nachdem Alfredo sie beleidigt hat. Verdi gibt ihr jedoch keine Gelegenheit, ihrem Charakter in einer Arie Ausdruck zu verleihen.

einfache, pragmatische Antwort: In *La Traviata* sind die Akte jeweils durch längere Zeitabschnitte voneinander getrennt; die beiden Bilder des 2. Aktes spielen aber am selben Tag. Floras Maskenfest ist in vollem Gange; das Bild beginnt wie die Introduzione in Violettas Salon mit belangloser Konversation, die von einem immer wiederkehrenden Orchestermotiv musikalisch zusammengehalten wird. An die Stelle von Alfredos Trinklied als unterhaltsame Einlage treten hier die Darbietungen der Zigeunerinnen und der Matadore – kleine Divertissements mit musikalischen Anspielungen auf so exotisches Lokalkolorit wie das zigeunerische und das spanische. Wie bei Violetta fallen die anwesenden Gäste gern in die vorbereiteten Gesangsdarbietungen ein, was umso leichter fällt, als die simplen Melodien unschwer zu behalten sind.

Als Alfredo unangemeldet auf dem Fest erscheint, ändert sich die Musik; auch die nun folgende Szene hat ihre Entsprechung in der Introduzione. Wo dort aus dem Nebenzimmer ein Walzer herüberklang, spielt auch hier das Orchester ein im Rhythmus walzerartiges, fast durchgehend ostinates Motiv, das Violettas Erscheinen am Arm Douphols, das Kartenspiel und den Streit zwischen Alfredo und Douphol begleitet. Die Appoggiaturen im ersten Takt sind mit dem Walzerthema der Introduzione sogar identisch. Die Tonart f-Moll und die Klangfarbe, in der zwei Klarinetten in tiefer Lage mit den Streichern ebenfalls in tiefer Lage und im Pianissimo eine düstere Atmosphäre erzeugen, geben jedoch deutlich zu verstehen, dass sich hier Unheil anbahnt.

Allegro agitato
Kl. in B
estremamente pp
Gastone si pone a tagliare,
Alfredo ed altri puntano
Vl. I
estremamente pp
Vl. II
estremamente pp
Va.
estremamente pp
Vc.
estremamente pp
Kb.
estremamente pp
Entra Violetta a braccio del Barone.
Flora va loro incontro

Steckbrief: Giuseppe, Violettas Diener – Ein Bediensteter Floras – Ein Dienstmann

Es sind die womöglich kürzesten Rollen, die die Operngeschichte aufzuweisen hat. Die Dienerrollen sind aus dem Konversationsstück übrig geblieben, ohne irgendwelche dramaturgisch wichtigen Aufgaben zu erfüllen; sie überbringen Briefe, kündigen Besucher an, melden die Abfahrt der Hausherrin und sprechen so wichtige Sätze wie »Das Essen ist serviert.« Damit diese Rollen auch von unerfahrenen Chorsängern oder gar Statisten bewältigt werden können, sind sie zumeist auf einem Ton komponiert.

Und wenn sich das Walzerthema beim Beginn des Kartenspiels nach Dur wendet und sich mit den hinzutretenden Flöten die Stimmung aufzuhellen scheint, so verhindert die neue Tonart Des-Dur eine mögliche Erleichterung. Unterbrochen wird dieser hektische Walzer lediglich dreimal von Violettas beiseite gesprochenen Befürchtungen, in welche Katastrophe der Abend münden könne. Gegenüber dem nervösen Ostinato-Motiv und den im Konversationston eingeworfenen Bemerkungen am Spieltisch und anderswo im Raum wirkt ihre in einem großen Bogen auf- und absteigende Melodie wie aus einer anderen Gefühlswelt.

Auch das folgende Zwiegespräch zwischen Violetta und Alfredo, nachdem die Gäste ins Nebenzimmer gegangen sind, könnte eine Parallele zur Introduzione darstellen. Doch diesmal ist alles anders als damals, da Alfredo Violetta seine Liebe erklärte. Von ariosem Gesang ist das Beisammensein diesmal weit entfernt. Über einem Teppich aus den unheilverkündenden anapästischen Streichermotiven entfaltet sich ein erregtes Parlando, das mit Alfredos öffentlicher Beleidigung Violettas endet. Die allgemeine Empörung macht sich in einem großen homophonen Ensemble Luft, bei dem das Streichermotiv schweigt.

Mit dem »Largo del Finale« bezeichneten Abschnitt beginnt jenes so genannte Pezzo concertato, das in der italienischen Oper des 19. Jahrhunderts selten fehlen durfte: ein auf Steigerung angelegtes Ensemble in langsamem Tempo. In derartigen Pezzi concertati spielte Verdi einen der entscheidenden Vorzüge der Oper gegenüber dem Schauspiel breit aus. Denn was im Sprechtheater nicht möglich war –, Personen, die durcheinander sprachen, ohne dass daraus etwas anderes als ein unverständliches Tohuwabohu entstand – ließ sich durch die Musik so organisieren, dass

Steckbrief: Barone Douphol

Von Anbeginn an verbreitet der Baron in Violettas Haus schlechte Laune, und sie zahlt es ihm heim, indem sie ihm sichtbar den Neuankömmling Alfredo vorzieht. Der Konflikt, der dann auf Floras Fest ausbrechen wird, zeichnet sich hier schon ab. Der Baron ist nicht weniger eifersüchtig auf Alfredo als dieser auf ihn. Dass Violetta sich ausgerechnet ihn aussucht, um ihre Trennung von Alfredo öffentlich zu machen, lässt ihr Opfer umso größer erscheinen. Denn der Baron hat weniger sie selbst im Sinn als vielmehr seine Rache an Alfredo, dem er mit beleidigender Überheblichkeit am Spieltisch in Floras Haus gegenübersitzt. Und er nutzt Alfredos Wutausbruch nicht etwa dazu, der geschmähten Violetta beizustehen, sondern Alfredo zum Duell zu fordern. In Violettas Krankenzimmer lässt er sich nicht mehr blicken.

die unterschiedlichen Äußerungen ebenso wie die unterschiedlichen Gemütszustände gleichzeitig vernehmbar sein konnten.

Das Libretto sah für das »Largo del Finale« eine Reihe metrisch gleicher Strophen vor, die Verdi je nach Situation und Seelenverfassung unterschiedlich vertonte. Germont eröffnet das Largo mit einer Zurechtweisung des Sohnes. Alfredo, entsetzt über sein eigenes Tun, murmelt rhythmisch in Sechzehnteltriolen vor sich hin. Wenn dann alle gleichzeitig singen, weist Verdi den Protagonisten unterschiedliche Positionen zu: Flora und ihre Gäste, darunter der Marchese, Gastone und der Dottore, bemühen sich um die ohnmächtige Violetta und singen dabei gemeinsam dieselben tröstenden Worte auf einen vierstimmig homophonen Satz. Germont singt, für sich, dieselben Noten, aber einen anderen Text – er allein weiß, was Violetta wirklich durchmacht. Alfredo verschlägt es fast die Sprache – außer »Was tat ich?« und »Weh mir!« trägt er zu dem Ensemble nichts bei. Der Baron dagegen raunt Alfredo in denselben Sechzehnteltriolen, die zuvor aus dessen Mund erklungen waren, eine Drohung zu. Wenn Violetta wieder zu sich kommt, wendet sie sich an Alfredo; ihre kurzatmigen, rhythmisch immer gleichen, melodisch variablen Melodiefetzen verraten, wie schwer ihr das Sprechen fällt. Allmählich schöpft sie wieder Atem, ihre Kantilenen werden länger, und die Anwesenden beginnen, in derselben Weise durcheinander zu sprechen wie zuvor. Die homophone Deklamation der Gäste wird lediglich von Alfredos monotoner Selbstanklage unterbrochen.

Dann aber passiert etwas Unerwartetes: Als Alfredo sich zu einer ausladenden Kantilene aufrafft, fällt Violetta nach nur wenigen Tönen ein; im Oktavabstand singen die beiden dieselbe leidenschaftliche Melodie zu jeweils anderem, aber aufeinander bezogenem Text. Alfredos »Volea fuggirla … non ho potuto« (Ich wollte sie meiden … hab es nicht gekonnt) mildert Violetta ab mit »dai rimorsi Dio ti salvi allora« (Gott möge dich dann von deinen Gewissensbissen erretten). Der fast hymnische Gesang des Liebespaares, das keines mehr sein darf, überstrahlt, verstärkt durch die hohen Bläser und die ersten Violinen, alle übrigen Äußerungen; dabei überhört man auch, dass Germont seinerseits den diatonisch aufsteigenden Beginn der Melodie unisono mit seinem Sohn singt, sich dann aber, wenn Violetta die Führung übernimmt, melodisch in eine andere Richtung abwendet; das mag vordergründig der baritonalen Stimmlage geschuldet sein, die sich nicht in so hohe Lagen aufschwingen kann. Doch Verdi gab mit dieser kompositorischen Idee, die keineswegs zwangsläufig aus dem Text folgt, der Bühnensituation eine persönliche Interpretation. Die Musik schreibt ihr eigenes Drama.

3. Akt

Nr. 8 Scena ed Aria Violetta »Annina? Comandate? – Addio, del passato bei sogni ridenti«

Hier schließt sich der Kreis. Wenn die Violinen »estremamente piano e assai legato« (extrem leise und sehr gebunden) ihre wie aus Himmelssphären herüberklingende Weise anstimmen, erinnert sich der Zuschauer an den Beginn des Preludio (siehe S. 63 f.). Die Geschichte ist an dem

Steckbrief: Annina

Sie ist Violettas Dienerin, und sie hält ihr bis zum Tod die Treue. Vor ihr hat Violetta keine Geheimnisse; in Violettas Auftrag verkauft Annina Hab und Gut der Kurtisane, um das neue Leben auf dem Lande zu finanzieren; sie überbringt den Brief, mit dem Violetta die Trennung von Alfredo besiegelt; sie wacht an Violettas Krankenbett und regelt, was diese ihr aufträgt – Geld an die Armen verteilen, den Doktor holen und so fort. Und sie ist dabei, als Violetta ihren letzten Atemzug tut – und mit Vater und Sohn Germont im Schmerz über das Ende vereint.

Punkt angekommen, auf den sie von Anbeginn an zielte: am Sterbebett der einstigen Lebedame, deren Luxusdasein schon zu Beginn der Oper nicht verbergen konnte, dass sie unrettbar krank und dem Tode geweiht war. Die instrumentale Einleitung zum 3. Akt erweckt den Anschein, als würde Violettas Leben noch einmal im Traum an ihr vorüberziehen – nach dem choralartigen Beginn hebt eine »dolente« vorgetragene, von c-Moll zu As-Dur sich eintrübende und gegen Ende chromatisch wie ein Lamento nach unten gewendete Melodie zu klagen an; sie mündet schließlich, um einen weiteren Schritt nach Des-Dur verdüstert, in eine fließende, schier nicht enden wollende Kantilene von fast überirdischer Schönheit. Eine Serie von Seufzerfiguren, eine Reihe von Appoggiaturen und schließlich ein lang ausgehaltener, am Ende kaum noch wahrnehmbarer Triller im vierfachen Pianissimo löschen das Bild von dieser üppigen Melodie allmählich aus. Mit den musikalischen Chiffren der Lebewelt, die ihre Kraft verloren haben, geht der Traum zu Ende; die einzelnen Elemente der Einleitung – die ätherischen Violinen des Beginns, die chromatischen Seufzerfiguren, der Triller – mischen sich nun unter den Dialog mit Annina und dem Doktor. Weitere musikalische Reminiszenzen an bessere Zeiten lassen sich vernehmen, wenn Violetta Germonts Brief liest und dazu Alfredos Liebeserklärung im Orchester zu hören ist (siehe S. 54 f.).

Violettas Arie »Addio, del passato bei sogni ridenti« (Lebt wohl, schöne lächelnde Träume der Vergangenheit) besteht nicht, wie dies üblich wäre, aus Cantabile und Cabaletta, sondern aus zwei identischen Strophen mit Refrain. Sie schildert auch keine dramatische Entwicklung, sondern ist ungeachtet der Tatsache, dass Violetta vordergründig ihrem früheren Leben nachtrauert, ein Gebet – keines, wie es sich die Priester und Moralapostel wünschen würden, aber doch eines, das sich einem verzeihenden Gott ganz anheim gibt. So freimütig und flexibel Violetta sich in all ihren Äußerungen zuvor gezeigt hatte, so streng beachtet sie in dieser Arie die Form. Verdi unterteilt die Strophen in je drei Abschnitte, die sich weniger melodisch als vielmehr in Tonart und Klangfarbe unterscheiden. Eine klagende Oboenmelodie eröffnet und strukturiert die Arie. Der wehmütige Abschied vom schönen Leben steht in a-Moll, einer Tonart, die bisher in der gesamten Oper keine Rolle gespielt, aber insofern eine Bedeutung hat, als sie die Mollversion jenes A-Dur darstellt, mit dem Violetta sich auf dem rauschenden Fest der Introduzione vorgestellt hatte. Auf diese Weise stellt Verdi den musikalischen Bezug zur Vergangenheit her. Wenn Violetta Alfredos gedenkt, umgibt Verdi ihre sehnsüchtige Melodie mit solistisch besetzter Flöte, Oboe und Klarinette.

Während der erste Teil der Arie lediglich von knappen Streicherakkorden begleitet wurde, blüht der Orchesterklang nun förmlich auf, und die Tonart wechselt zum parallelen C-Dur. Doch diese Vision von Alfredos Liebe dauert nur einen kurzen Moment; übrig bleibt die Erkenntnis, dass Trost und Unterstützung fehlen, bekräftigt von der Oboe, die ein kurzes Zwiegespräch mit dem Gesang anstimmt.

Wenn Violetta schließlich Gott bittet, das Flehen der Gefallenen zu erhören und sie zu sich zu nehmen, umgeben gemeinsam von Bläsern und Streichern dahingetupfte Akkorde Violettas Gesang wie mit einem Strahlenkranz; das A-Dur dieser Passage – die Tonart des Festes in Violettas Haus – verweist einerseits auf das Vorleben der »Traviata«, andererseits

Schwindsucht im Leben und auf der Bühne

Allzu großer Naturalismus auf der Opernbühne war Verdi fremd. Über die Schauspielerin Adelaide Ristori in der Rolle von Shakespeares Lady Macbeth und ihre Wahnsinnsszene schrieb Verdi, als er seine Oper *Macbeth* (1847) für Paris 1865 umarbeitete: »Die Ristori gab ein Röcheln von sich, das Röcheln des Todes. In Musik darf und kann man das nicht machen; ebenso wie man im letzten Akt von *La Traviata* nicht husten darf.«

leuchtet es wie vom Licht des Himmels beschienen aus dem wehmütigen a-Moll heraus. Und wieder lässt sich die Oboe hören und leitet mit ihrer klagenden Melodie alsbald nach a-Moll zurück. Violettas Gebet endet mit der traurigen Erkenntnis »Or tutto finì« (Nun ist alles zu Ende); dass sie auch eine Hoffnung auf Erlösung in sich birgt, macht Verdi durch den Oktavsprung aufwärts in den Schlusston deutlich – ein Ton, vorgetragen mit »un fil di voce« (einem Hauch von Stimme), so als wäre Violetta bereits der Welt entrückt.

Nr. 9 Baccanale »Largo al quadrupede sir della festa«

Kurz, derb, lärmend: Von der Straße schallt ein Karnevalszug herein, begleitet von einer Banda mit zwei Piccoloflöten, vier Klarinetten, zwei Hörnern, zwei Posaunen sowie Kastagnetten und Schellentrommeln. Und ist ebenso rasch wieder verschwunden, wie er die transzendente Atmosphäre des Arienschlusses unterbrochen hatte.

Nr. 10 Scena e Duetto Violetta und Alfredo »Signora … Che t'accadde – Parigi, o cara, noi lasceremo«

Nervöse Achtelfigurationen und eine gleichsam atemlose, von Pausen durchsetzte chromatisch absteigende Linie in den ersten Violinen und Violen kündigen Unerwartetes an – Alfredo erscheint und wirft sich in Violettas Arme. So leidenschaftlich ist die Wiedersehensfreude, dass Alfredo Violettas Zustand nicht einmal bemerkt. Von der Abreise aus Paris ist im Cantabile des Duetts die Rede, von Genesung und Zukunft. Noch einmal betört Alfredo Violetta mit jenem langsamen Dreiermetrum, das schon seine Liebeserklärung im 1. Akt so unwiderstehlich gemacht hatte. Wieder ist seine Melodie so schlicht, so eindringlich, dass Violetta sie sogleich Ton für Ton nachsingen kann. Erst danach entspinnt sich

Steckbrief: Dottore Grenvil

Wenn der Vorhang aufgeht und den Blick auf Violettas prächtigen Salon freigibt, sitzt der Doktor neben Violetta auf dem Divan und unterhält sich mit ihr. Er gehört zweifellos zu den Herren, die auf der Suche nach Zerstreuung sind; seine Präsenz macht jedoch auch deutlich, dass Violetta ärztlichen Beistand benötigt. Er reiht sich ein in den Chor der namenlosen Gäste, ohne kaum je ein eigenes Wort zu sprechen. Erst im 3. Akt zeigt er seinen mitfühlenden Charakter, denn er ist der Einzige aus der Welt der nächtlichen Vergnügungen, der sich um die sterbende Violetta kümmert, ihr den Puls fühlt, ihr wider besseres Wissen Mut zuspricht – und schließlich am Ende der Oper ihren Tod feststellen muss.

ein arioser Dialog, in dem er mit großer melodischer Geste seinen Plan wiederholt, sie aber durch kleingliedrige, chromatisch in engem Raum auf- und absteigende Silben erkennen lässt, wie es um ihre Lebenskraft wirklich steht. Diese Gewissheit vermittelt das folgende Rezitativ; in der Cabaletta bäumt sich Violetta ein letztes Mal auf; das kräftige C-Dur, die nachdrücklichen Viertelnoten der flächigen, fast aufstampfenden Melodie, mit denen sie sich gegen das Unabänderliche stemmen will, weichen einer mutlosen Passage in c-Moll mit abwärts gerichteter Melodie. Bei der Wiederholung der Cabaletta mischt sich am Ende des Duetts jener trommelartige Todesrhythmus ins Orchester hinein, der Violettas Lebensende begleiten wird.

Nr. 11 Finale ultimo

Eigentlich, nach den ehernen Gesetzen der Belcanto-Oper, sollten die Protagonisten im letzten Finale noch einmal Gelegenheit bekommen, ihre sängerischen Fähigkeiten unter Beweis zu stellen, Virtuosität oder zumindest dramatisches Pathos zu zeigen. Nichts davon findet sich in *La Traviata*. Das Finale besteht, der dramatischen Situation entsprechend, fast ausschließlich aus deklamatorischen Passagen, zumeist monotoner Sprechweise, zahlreichen Pausen, unvollständigen Sätzen, selten einem kleinen Melisma. Violettas Sterben schnürt den Anwesenden hörbar die Kehle zu. Der Todesrhythmus beherrscht die Szene von dem Moment an, da Violetta Alfredo ihr Portrait überreicht. Zuvor haben sich auch der Doktor und Germont noch eingefunden; wilde chromatische Drehfiguren in den Violinen, rasche Sechzehntelläufe in den Holzbläsern illustrieren sein Erschrecken, als er Violetta im Sterben liegen sieht. Violettas Gesang, der diesen Namen kaum noch verdient, weil ihre Kraft zu nichts anderem mehr als zu desolaten, immer wieder von Pausen unterbrochenen Wortfetzen reicht, ist eingebettet in eine rhythmische Umgebung aus dem anapästischen Trommelmotiv im gesamten Orchester, freilich im fünffachen Pianissimo zu spielen – eine mehr als düstere Atmosphäre, zu der die Tonart des-Moll nicht unwesentlich beiträgt.

Wenn Violetta dann von der reinen Jungfrau spricht, die Alfredo einst heiraten solle, scheint das Todesmotiv zu verstummen; doch es kehrt, noch während sie ihre liebliche Melodie, nunmehr in E-Dur, singt, auch in dieser lebendigeren Tonart unerbittlich zurück, zunächst in den Pausen zwischen ihren Äußerungen, später wieder als Untermalung des gesamten Ensembles.

Violettas Sterbeszene im 3. Akt mit Eva Mei (Violetta), Piotr Beczala (Alfredo) und Leo Nucci (Germont) in Jürgen Flimms Züricher Inszenierung 2006.

Violettas Ende schildert Verdi mit geradezu medizinischer Präzision. Im vierfachen Pianissimo ertönt noch einmal Alfredos Liebesmelodie in der ersten Violine, begleitet von Tremoli in den anderen Streichern – die Euphorie, mit der das Sterben einhergehen kann, lässt sich im Orchestersatz vernehmen. Violetta selbst kann kaum noch sprechen – und singen schon überhaupt nicht mehr; ihre wenigen stoßweise hervorgebrachten Worte über der Liebesmelodie sollen nach dem Willen des Komponisten »parlando« (sprechend) geäußert werden. Violettas absoluter Lebenswille hilft ihr noch einmal, die Tonleiter bei der trügerischen Vision, ins Leben zurückzukehren, schrittweise hinaufzuklimmen; doch ausgerechnet bei den Worten »insolito vigor« (ungewohnte Kraft) sinkt sie wieder nach unten. Ihr mit allerletzter Kraft ausgestoßener Freudenschrei »O gioia!« (O Freude!) ist gleichzeitig auch das Ende: Zum allgemeinen Entsetzen kann der Doktor nur noch den Tod feststellen. Und als sei damit alles vorbei, fällt der Vorhang, kaum dass diese Diagnose ausgesprochen wurde, gleich darauf zu einigen wenigen Schlussakkorden.

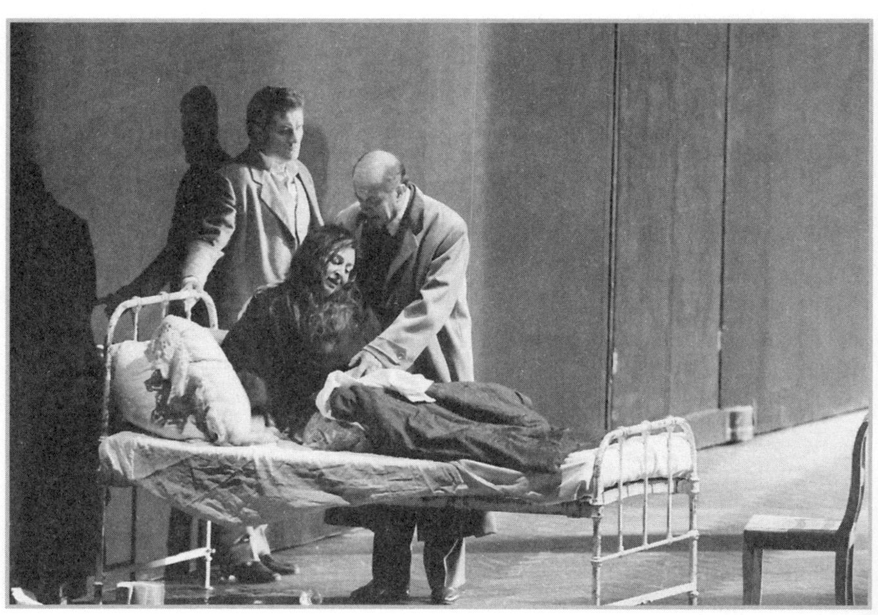

Inszenierungsgeschichte

Stimme oder Figur? Violetta auf der Bühne zu Verdis Lebzeiten

Die Aufführungsgeschichte von *La Traviata* könnte mit einem Satz beschrieben werden: Wohl jedes Opernhaus, jede Sängerin, jeder Dirigent, alle, die sich überhaupt mit Verdi beschäftigten, hatten (und haben) *La Traviata* im Repertoire. Die Zahl der Einspielungen dürfte die Hundert überschritten haben. Ob Gemma Bellincioni oder Nellie Melba, Rosa Ponselle oder Maria Cebotari, Maria Callas oder Renata Tebaldi, Anneliese Rothenberger oder Hilde Güden, Anna Moffo oder Joan Sutherland, Renata Scotto oder Montserrat Caballé, Angela Gheorghiu oder Anna Netrebko – sie alle haben Violetta Valéry ihre Stimme und ihre künstlerische Gestaltungskraft gegeben. So uferlos ist die Rezeptionsgeschichte dieser Oper, dass es unmöglich ist, sie umfassend darzustellen. Da aber jede Generation von Opernliebhabern sich eine gleichsam emblematische Traviata geschaffen hat, bietet es sich an, die Interpretationsgeschichte anhand dieser zentralen Traviata-Darstellungen zu verfolgen. Es ist eine Geschichte schlimmer Niederlagen und triumphaler Erfolge. Bei keiner anderen Opernfigur hat die dramatische Darstellung, die Bühnenpräsenz jenseits des Gesangs, aber auch das Aussehen der Sängerin eine so entscheidende Rolle gespielt wie bei Violetta Valéry. Die Partie gehört nicht zu den größten sängerischen Herausforderungen, die Verdi den Primadonnen zumutete. Kaum eine andere seiner Figuren aber bedarf einer derart durchdachten dramatischen Unmittelbarkeit wie diese.

Schon vor der Uraufführung begannen jene Probleme, die sich wie ein roter Faden durch die Aufführungsgeschichte der Oper ziehen sollten. Verdi mochte bei der Konzeption seines musikalischen Dramas keine

Konzessionen an den Opernbetrieb mit seinen organisatorischen Bedingungen und Verpflichtungen machen. Die vertraglich für die Titelrolle vorgesehene Fanny Salvini-Donatelli, robuste 38 Jahre alt und eher stämmig von Figur, schien Verdi von Anbeginn an ungeeignet, eine an Schwindsucht zugrunde gehende junge Frau Anfang zwanzig zu verkörpern. Er forderte eine Sängerin »mit eleganter Figur, die jung ist und leidenschaftlich singt«, und schlug eine andere mit Argumenten vor, die mehr auf darstellerische als auf sängerische Fähigkeiten abhoben: Diese andere »hat eine gute Figur, eine Menge Witz und eine gute Bühnenpräsenz: herausragende Fähigkeiten für *La Traviata*.« Als das Management des Teatro La Fenice auf den Sängern des Hauses bestand, sah Verdi das Debakel kommen, das die nach seiner Überzeugung völlig inkompetenten Sänger bei der Uraufführung am 6. März 1853 verursachen würden. Am Tag danach schrieb er, beinahe triumphierend, an einen Vertrauten: »*La Traviata* gestern Abend, ein Fiasko. Ist es meine Schuld oder die der Sänger? Man wird sehen.«

In der Rezension der Uraufführung in der *Gazzetta ufficiale di Venezia* ist von einem Fiasko allerdings nicht die Rede – im Gegenteil. Über die Salvini-Donatelli wusste der Rezensent nur Gutes zu berichten: Sie habe »das Publikum begeistert, das sie mit Applaus überschüttete«. Er lobte darüber hinaus das Orchester und vor allem anderen Verdis zu Herzen gehende Musik. Allerdings ließ er kein gutes Haar an den anderen Sängern. Beim Singen, so der Rezensent, brauche es drei Dinge: Stimme, Stimme, Stimme. Und ein Komponist habe es schwer, wenn er keine Sänger finde, die das, was er erschaffe, gut umzusetzen imstande seien. Keiner der Sänger aber, mit Ausnahme der Protagonistin, habe sich auf der Höhe seines stimmlichen wie interpretatorischen Könnens befunden. Der Sänger des Giorgio Germont, Felice Varesi, mochte diese Kritik nicht auf sich sitzen lassen und beklagte sich, Verdi habe *La Traviata* ohne Rücksicht auf die stimmlichen Möglichkeiten der vorgesehenen Sänger komponiert. Varesis Kritik wog schwer, denn er war nicht irgendein Bariton: Er hatte die Rollen des Macbeth und des Rigoletto aus der Taufe gehoben und mit diesen Partien Triumphe gefeiert. Und sie war aus der Sicht des Stars, der vor allem seine sängerischen Fähigkeiten auf der Bühne vom Komponisten gewürdigt wissen wollte, auch nicht unberechtigt; denn tatsächlich hatte Verdi gerade die Rolle des Vaters Germont mit einem dramatischen Realismus ausgestaltet, der das, was die Zeit unter Belcanto (Schöngesang) verstand, kaum mehr zuließ. Das sahen auch manche Zeitgenossen so, wie eine Rezension der Uraufführung in der Musikzeitschrift *Italia musicale* deutlich, machte: »*La Traviata* ist die beste oder wenigstens die fortschrittlichste der modernen Opern. Denn es scheint uns, wenn wir diese Oper sehen, als würden wir in Dumas' Schauspiel sitzen, umso mehr als es nicht einmal wie Musik erscheint. Von nun an wird man in eine Verdi-Oper gehen, als würde man ins Schauspielhaus gehen. Verdi ist der Erfinder einer vollkommen neuen Musik; er hat ihre Mittel vervielfacht und will, dass sie nicht nur die Gedanken und Gefühle im Allgemeinen ausdrückt, sondern auch alle ihre Wandlungen.«

Pietro Bertojas Bühnenbildentwurf von Floras Festsaal im 2. Akt für die Uraufführung von »La Traviata« am 6. März 1853 im Teatro La Fenice, Venedig.

Neben der Besetzung der Titelrolle sollte sich von Anfang an ein zweites Problem als zentral erweisen, das die *Traviata*-Rezeption lange Jahrzehnte begleiten sollte. Schon die venezianische Zensurbehörde hatte an dem zeitgenössischen Sujet, an der personifizierten Unmoral der Titelrolle Anstoß genommen und verlangt, die Geschichte in die Vergangenheit zu verlegen. So erbost Verdi auf dieses Ansinnen reagierte – er musste sich doch beugen und konnte lediglich durchsetzen, dass seine Oper in einer Zeit spielen sollte, in der man (noch) keine Perücken trug. Änderungen am Text nahm er hin – so verlangte die Zensurbehörde eine

Änderung der Worte »croce e delizia« (Kreuz und Wonne) in Alfredos Liebesschwur, weil »croce« als christliches Symbol nicht mit profaner Liebesleidenschaft in Bezug gesetzt werden durfte. Und auch mit Violettas Feststellung »La vita è un tripudio« (Das Leben ist ein Freudentanz) mochten die gestrengen Zensoren sich nicht einverstanden erklären und verlangten, diesen Satz zu »Mia vita è un tripudio« (Mein Leben ist ein Freudentanz) umzuformulieren.

Die Zensur tat sich aber selbst noch mit der durch die Verlegung der Handlung in eine ferne Vorzeit gleichsam entschärften Version der bekannten Geschichte schwer. Als ein Impresario bald nach der Uraufführung *La Traviata* in Rom auf die Bühne bringen wollte und sie zuvor der dortigen Zensurbehörde zur Überarbeitung überlassen hatte, weigerte sich Verdi, eine Aufführung in dieser gereinigten Fassung zu genehmigen: »Ich komme nicht nach Rom, aus mehreren Gründen. Erstens, weil der Impresario ein Knauser ist; zweitens weil die Zensur den Sinn

»Germont« ist verärgert

Nach dem Fiasko der Uraufführung schrieb Felice Varesi an den Verleger Francesco Lucca einen Brief und bat ihn, diesen in seiner Zeitschrift zu veröffentlichen:

»Ich will mich nicht zum Richter über den musikalischen Wert der *Traviata* aufschwingen. Aber ich bestehe ganz gewiss darauf, dass Verdi sich die Fähigkeiten der Künstler, die er zur Verfügung hatte, nicht zunutze zu machen gewusst hat. Für die Salvini reicht es wahrlich nicht, ihr lediglich eine Cavatina [im 1. Akt] zu geben. Wenig oder nichts für Graziani [Alfredo]. Für mich nur das Adagio einer Arie, und das hat das venezianische Publikum übel aufgenommen, das erwartet hatte, ich würde sehr gut ausgestattet werden, da Verdi für mich ja bereits die kolossalen Rollen des Macbeth und des Rigoletto geschaffen hatte. [...] Lass dir die Geschichte von gestern Abend erzählen. Dritte Aufführung, eine Wohltätigkeitsveranstaltung für die Armen. Ein mehr als erbärmliches Haus. Ein bisschen Applaus für den Brindisi und viel für die Donatelli für ihre Cavatina, mit zwei Vorhängen. Das große Duett zwischen der Salvini und mir [im 2. Akt]: Ein bisschen Applaus für das Adagio und die Cabaletta. Applaus für das Finale des 2. Aktes, zwei Vorhänge für den Maestro und die Sänger. Kein Applaus im 3. Akt und ein Vorhang für den Maestro, der, wie man weiß, am nächsten Tag abreiste.«

des Dramas zerstört hat. Sie haben die Traviata rein und unschuldig gemacht. Vielen Dank! Auf diese Weise haben sie alle Positionen, alle Charaktere kaputt gemacht. Eine Hure muss immer eine Hure bleiben. Wenn nachts die Sonne schiene, wäre es keine Nacht mehr. Also: Sie verstehen überhaupt nichts.« Und als ein Freund Verdis *La Traviata* dem Teatro San Carlo in Neapel vorschlagen wollte, ließ dieser ihn ebenfalls abblitzen: »Ach! Euch gefällt *La Traviata*? Diese arme Sünderin, die in Venedig so unglückselig war! Ich werde mich bemühen, ihr in der Welt Achtung zu verschaffen. In Neapel aber nicht, weil eure Priester und eure Mönche Angst hätten, auf der Bühne gewisse Dinge zu sehen, die sie selbst im Dunkeln tun.«

Als Verdi seiner *Traviata* dann tatsächlich wenig mehr als ein Jahr nach der Uraufführung am 6. Mai 1854 wiederum in Venedig im Teatro San Benedetto mit einigen größeren und unzähligen kleinen Änderungen vor der Welt Achtung verschaffte, wurde diese zweite Uraufführung auch deshalb ein überwältigender Erfolg, weil die Primadonna Maria Spezia so ganz dem Bild der schwindsüchtigen Violetta entsprach – jung, bildhübsch und so zerbrechlich wirkend, dass Verdis Librettist Piave sich Sorgen machte, ob sie die Rolle überhaupt durchstehen würde. Maria Spezia gehörte nicht zur ersten Riege der Sängerinnen; sie bestätigte aber Verdis Überlegungen hinsichtlich der Bühnenausstrahlung der *Traviata*-Darstellerin und deren Vorrang vor sängerischen Qualitäten. Viele Jahre später brachte er dies im Zusammenhang mit der Sängerin Gemma Bellincioni noch einmal zur Sprache. Gemma Bellincioni hatte die Rolle der Violetta 22-jährig im Jahre 1886 mit großem Erfolg und zu Verdis Begeisterung an der Mailänder Scala gesungen. Als sie aber ein Jahr später vorgeschlagen wurde, bei der Uraufführung von *Otello* die Rolle der Desdemona zu singen, lehnte Verdi ab, weil er ihr zwar die Traviata, nicht aber die Desdemona zutraute: »Ich könnte sie nach der Traviata nicht beurteilen. Auch eine mittelmäßige Sängerin könnte in dieser Oper herausragend und in allen anderen miserabel sein.«

Gemma Bellincioni, die nur wenig später die Rolle der Santuzza in Pietro Mascagnis *Cavalleria rusticana* aus der Taufe heben und eine der bedeutendsten Sängerinnen des Verismo werden sollte, stellte als Erste Violetta in zeitgenössischen Kostümen dar – eine Generation nach der Uraufführung freilich und zu einem Zeitpunkt, als die Kostümierung und die dargestellte Zeit längst schon keine Rolle mehr spielten, weil *La Traviata* nicht mehr als provokante Aktualität, sondern als eine nicht an irgendeine Zeit gebundene Tragödie aufgefasst wurde. Von Bellincioni existiert auch die vermutlich erste Tonaufzeichnung einer Arie der Violetta: »Ah, fors'è

»La Traviata« macht Furore

So zwiespältig die Uraufführung aufgenommen worden war, so enthusiastisch feierte das venezianische Publikum die umgearbeitete Fassung ein Jahr später. Verdi, der sich wieder in Paris aufhielt, war bei dieser Aufführung nicht anwesend, erhielt aber durch seinen Verleger Tito Ricordi Kunde von dem überwältigenden Erfolg am Teatro San Benedetto. Am 9. Mai 1854, drei Tage nach der Premiere, schrieb Ricordis Sekretär an Verdi:

»Ich lege Ihnen einen Brief bei, den ich gestern Abend von [dem Theaterdirektor] Gallo erhalten habe. Heute kamen noch mehr, die von dem unbeschreiblichen Enthusiasmus sprechen, mit dem die *Traviata* am zweiten Abend, mehr noch wenn überhaupt möglich als beim ersten, aufgenommen wurde. Es ist ein beispielloser Erfolg. Sie waren ein Prophet, als Sie gesagt haben: ›Die *Traviata* ist durchgefallen, wessen Schuld ist es? Meine oder die der Sänger? Ich weiß es nicht, die Zeit wird entscheiden.‹ Und die Zeit hat entschieden, und in derselben Stadt und mit denselben Zuschauern, die sie zuvor verdammt hatten, während sich jetzt alle rühmen, sie von Anfang an schon im vergangenen Jahr für eine überaus schöne Oper gehalten zu haben!«

lui«, mit Klavier begleitet, wurde 1903 produziert und dokumentiert einen Interpretationsstil, der von einem heutigen nicht nur im deutlich langsameren Tempo als die Metronomangaben der Partitur es vorschreiben, sondern auch in der Freiheit gegenüber dem Notentext – zumal in den Kadenzen, die von Bellincioni mit großer Geste ausgestaltet werden – abweicht. Live-Mitschnitte von Produktionen der New Yorker Metropolitan Opera und der Mailänder Scala aus der ersten Hälfte des 20. Jahrhunderts belegen diese Aufführungstradition, bei der die Sänger den Dirigenten die Vorgaben machten und nicht umgekehrt. Daneben dokumentiert die erste Studioproduktion der Oper aus dem Jahre 1928 mit der katalanischen Sopranistin Mercedes Capsir in der Rolle der Violetta, wie das Orchester unter der Leitung von Lorenzo Molajoli die musikalische Plattform schuf, auf der die Sängerin ihre Kunst entfalten konnte, ohne dabei über Gebühr in sängerische Manierismen wie allzu lang ausgehaltene Töne, allzu häufige Auszierungen, allzu ungereimte Tempowechsel zu verfallen.

Inszenierungen des 20. Jahrhunderts und das Regietheater

Mit der technischen Entwicklung mehrten sich im 20. Jahrhundert nicht nur die Tonaufzeichnungen, sondern zunehmend auch die visuellen Dokumentationen von Bühneninterpretationen. Das Internet ist voll von Ausschnitten berühmter Produktionen, in denen zahlreiche Weltklassesängerinnen wie Anna Moffo, Renata Scotto oder Edita Gruberová in der Rolle der Traviata nicht mehr nur zu hören, sondern auch zu sehen sind. Damit wurde Verdis Problem der Bühnenpräsenz, das die Uraufführung überschattet hatte, allerdings erneut virulent. Denn die Filmkamera, die unbarmherzig nahe an die Sänger heranfahren kann, zerstört jede durch die Entfernung zwischen Bühne und Zuschauer vielleicht noch aufrechtzuerhaltende Illusion über die Physis der dargestellten Personen, die allein die Musik zu schaffen imstande ist. Wer Renata Scotto – eine der wunderbarsten Traviata-Interpretinnen des 20. Jahrhunderts mit der Fähigkeit, ihrer Stimme auch im reiferen Alter jene jugendliche Sinnlichkeit zu verleihen, die für die Rolle unabdingbar ist – in der Tokioter Produktion von 1973 aus nächster Nähe beim Singen zusieht, wird Verdis Dilemma vielleicht sogar verstehen können: Man möchte angesichts einer Sängerin, die weder ihr Alter von 39 Jahren noch ihre üppige Figur vor dem indiskreten Kameraobjektiv verbergen kann, am liebsten wegsehen, um sich durch ihren herrlichen und der Rolle absolut adäquaten Gesang eine 23 Jahre junge, von der Schwindsucht gezeichnete Violetta vor dem geistigen Auge vorstellen zu können.

Seit den 1970er-Jahren mehrten sich allerdings auch solche Produktionen, in denen die altbekannte Geschichte neu gelesen wurde. Das sogenannte Regietheater, das es sich zur Aufgabe machte, allzu vertraute Repertoirestücke zu aktualisieren, zu problematisieren und zu kommentieren und auf diese Weise die ursprüngliche Brisanz derartiger Werke wieder hervorzuholen, hielt Einzug auch auf den Opernbühnen, und *La Traviata* bot sich für derartige szenische Neuinterpretationen geradezu an. Eine milde Form der Aktualisierung, die auch in früheren Jahrzehnten bisweilen schon praktiziert worden war, betraf einmal mehr die Kostüme. Sie sollten nun nicht mehr die Zeit der Handlung und der Entstehung der Oper dokumentieren, sondern die jeweils eigene Zeit; Versuche dieser Art reichen bis in die 1930er-Jahre zurück. Eine weitere Modernisierung konnte, zumindest in Übersetzungen, die Textfassung betreffen. Walter Felsensteins Hamburger Inszenierung von 1960 übertrug das Libretto in ein Umgangsdeutsch, das der imaginierten Sprechweise der Pariser

Halbwelt eher entsprechen sollte als die eingebürgerte, zunehmend als gestelzt empfundene Opernsprache. Künftig ließ sich kaum ein Regisseur die Gelegenheit entgehen, mit einer *Traviata*-Inszenierung seine Sicht auf die gesellschaftliche Bedingtheit von Beziehungen, auf die tragische, zum Scheitern verurteilte Liebe zur Diskussion zu stellen. Ruth Berghaus' Stuttgarter Inszenierung von 1993 entbehrte jeder Zuversicht. In den von Erich Wonder entworfenen Bühnenbildern entfaltete sich eine Tragödie über die soziale Kälte der Amüsiergesellschaft in einer von realer Kälte dominierten Düsternis. Die beiden Festszenen sind ganz in Schwarz gehalten, das als Liebesnest gemeinte Landhaus im 2. Akt entpuppt sich als halb verfallener Schuppen in einer Wüste aus Schnee und Eis, und der letzte Akt zeigt die sterbende Violetta wie obdachlos unter den Brücken von Paris in einem Milieu, das trostloser nicht sein könnte. Violetta selbst ist der einzige Lichtblick in dieser Umgebung; ihre ansteckende Fröhlichkeit wärmt die Ballszene im 1. Akt; in unbändigem Lebenswillen versucht sie, in der Eiseskälte des 2. Aktes Blumen zu züchten; und sie ist es, die am Schluss Alfredo wie ein Kind in ihren Armen wiegt und den Verzweifelten tröstet; statt dass sie in seinen Armen stirbt, flüchtet er sich in ihre.

Dass *La Traviata* für alle Arten erotischer Fantasien inszenatorische Räume bietet, liegt bei dem Sujet sicherlich nahe. Eine Lesart, die Violetta als berechnende Edelnutte versteht, ist zwar durchaus denkbar, macht aber eine Verengung des Blicks auf diese Rolle und offenbar auch Eingriffe in den Text nötig. In seiner Hannoveraner Inszenierung von 2003 ließ Calixto Bieito Violetta nicht sterben, sondern mit all dem Geld, das sie den Freiern für ihre Dienste abgenommen hatte, unter Hohnlachen zu neuen Ufern aufbrechen, gemeinsam mit ihrer Freundin und Zuhälterin, die Bieito aus Flora und Annina zusammengeschnitten hatte. Dass die Musik eine gänzlich andere Sprache spricht, dass Violetta gerade durch ihre Läuterung zu einer Heldin wird, war in dieser Interpretation nicht unterzubringen. Violetta wird hier nicht nur durch ihre Gewandung mit Korsage, Strapsen und Tanga-Slip, alles selbstverständlich in Schwarz, sondern auch durch ihre Degradierung zum geldgierigen Flittchen zu einer ultimativen Männerfantasie.

Die Zeiten ändern sich. Bestand ein Teil der Faszination, die Maria Callas auf die Opernenthusiasten ihrer Zeit ausübte, in der Rarität und der Exklusivität ihrer Auftritte, so ist eine Generation später die Allgegenwart in den Medien eher ein Garant für Ruhm und Bedeutung. Mit ihrer Interpretation der Violetta Valéry bei den Salzburger Festspielen 2005 hat sich Anna Netrebko endgültig als Traviata-Ikone des neuen Jahrtausends

Adorno über »La Traviata«

Theodor W. Adorno (1903–1969) hat sich in seinen Frankfurter Vorlesungen zur Musiksoziologie, die 1962 als *Dissonanzen. Einleitung in die Musiksoziologie* veröffentlicht wurden, im Kontext seiner Kritik der an Erfolg versprechenden Repertoirewerken orientierten Spielplanpolitik der Opernhäuser, auch über *La Traviata* Gedanken gemacht: »Carmen, Aida und Traviata meinten einmal, im Protest der Leidenschaft gegen konventionelle Verhärtung, Humanität, und Musik vertrat dabei, durch den Laut des Unmittelbaren, gleichsam Natur selbst. Vermutlich erinnern heute die Besucher sich nicht einmal mehr daran – zur Identifikation mit der geächteten femme entretenue, deren Typus längst ausstarb, kommt es so wenig mehr wie zu der mit den Opernzigeunern, die als Kostümfestmasken fortvegetieren. Kurz, zwischen die gegenwärtige Gesellschaft, auch diejenigen, die sie als Opernpublikum delegiert, und die Oper selbst hat etwas wie ein Graben sich gelegt. In diesem jedoch hat die Oper, sei's auch auf Widerruf, häuslich sich eingerichtet. Sie bietet das Paradigma einer Form, die unentwegt konsumiert wird, obwohl sie nicht bloß ihre geistige Aktualität verlor, sondern mit größter Wahrscheinlichkeit gar nicht mehr adäquat verstanden werden kann.«

etabliert. Die Premiere der Aufführung im Großen Festspielhaus wurde zeitversetzt auf eine Großbildleinwand nach draußen übertragen und noch am selben Abend auch im internationalen Fernsehen gezeigt, später als CD und als DVD in den Handel gebracht. Der Regisseur Willy Decker musste gemeinsam mit seinem Bühnenbildner Wolfgang Gussmann einerseits mit der unendlichen Breite der Festspielhaus-Bühne zurechtkommen und gleichzeitig eine Bildersprache entwickeln, die andererseits auch im Guckkasten des Fernsehapparates noch funktionierte. Sie lösten dieses Problem, indem sie die komplexe Geschichte auf einen szenischen Minimalismus reduzierten, der mit fast schablonenartigen Zeichen arbeitete. Einzige Requisiten auf der weiten Bühne waren eine große Uhr, die für die Unerbittlichkeit der Zeit stand, sowie ein rotes Sofa, das das Lotterleben der Demi-Monde zu versinnbildlichen hatte. Die Farbregie hob Violetta im knallroten Partykleid von der Masse der schwarz gekleideten Männer ab; im 2. Akt symbolisieren großblumige Muster auf den Tagesdecken einiger Sofas die ländliche Umgebung. Violetta trägt einen Morgenmantel aus demselben Stoff, darunter ein weißes Unterkleid.

Als sie beschließt, sich zu opfern und ihr altes Leben wieder aufzunehmen, zieht sie das rote Kleid wieder an. Im Krankenzimmer des 3. Aktes liegt sie im weißen Unterkleid auf dem nackten Fußboden, bis Annina ihr den eigenen schwarzen Mantel umlegt; das rote Kleid liegt derweil unbenutzt auf dem Boden. Deckers Entschluss, Violetta als einzige Frau in einer lüsternen Männerwelt zu zeigen, zwang ihn dazu, nicht nur alle Lebedamen im Hause Violettas und Floras in schwarze Männeranzüge zu stecken, sondern auch Flora zu einem Mann zu machen, der Violetta im Finale des 2. Aktes mit Handkuss begrüßt. Mit Anna Netrebko, Rolando Villazón als Alfredo und Thomas Hampson als Vater Germont waren die drei Hauptrollen nahezu ideal besetzt; wenn diese Inszenierung dennoch weniger zu Herzen ging als die Gesangskunst der Interpreten es erlaubt hätte, so vor allem deshalb, weil die Symbolik der Regie allzu bald allzu vorhersehbar war.

Die Geschichte der *Traviata*-Interpretationen ist mit der Salzburger Inszenierung von 2005, so ikonisch sie durch geschickte Vermarktung geworden ist, natürlich nicht zu Ende. Verdis Vorstellung, die ideale Traviata müsse Bühnenpräsenz, darstellerische Fähigkeiten und ein der Rolle adäquates Aussehen besitzen, wird heute von deutlich mehr Sängerinnen eingelöst als in früheren Generationen, weil schauspielerische Fähigkeiten für den Erfolg auf der Opernbühne eine selbstverständliche Voraussetzung geworden sind. Wer etwa Christine Schäfer in Christoph Marthalers Pariser Inszenierung von 2007 erlebt hat, konnte dieses Miteinander von musikalischer Höchstleistung und bis ins kleinste Detail, bis in jede Geste und jeden Blick hinein ausdifferenzierter Darstellung beobachten. Gerade bei sattsam bekannten Opern müssen freilich immer neue Sensationen her, um beim Publikum Aufmerksamkeit zu erregen. Und diese Sensationen bestehen heute weit mehr in der szenischen als in der musikalischen Darbietung.

Eine eher dem Spektakel verpflichtete Produktion war eine Aufführung auf den Bahnsteigen und in der großen Halle des Züricher Hauptbahnhofs – eine prächtige Kulisse und ein durchaus zeitgemäßes Interieur für die Geschichte der Violetta Valéry. Die Festgesellschaft einschließlich Alfredos prostet sich zu seinem Trinklied statt mit Champagner mit frisch gezapftem Bier zu und benimmt sich auch sonst wie die dicht daneben stehenden Zuschauer, die auf diese Weise fast zu Statisten und zu Voyeuren werden. Dass eine solche Produktion eher den Eventcharakter der Oper betont als ein künstlerisches Ereignis zu sein, macht die Klangqualität der Aufnahme ebenso deutlich wie das musikalische Tohuwabohu kaum einmal wirklich koordinierter Einsätze,

das angesichts der Räumlichkeiten wohl nicht zu vermeiden war. Dass die Idee dazu überhaupt entstehen konnte, liegt aber sicherlich auch an dem Sujet, das sich wie kaum ein anderes für eine Verlegung in eine Bahnhofshalle aus dem 19. Jahrhundert eignet. Der Wahn der Lady Macbeth, der Mord an Desdemona hätten in diesem Ambiente deutlich deplatzierter gewirkt.

In Hannover bot der Regisseur Benedikt von Peter 2011 dem Publikum eine radikal andere Interpretation als Bieito acht Jahre zuvor und einen überraschend neuen Denkansatz an. Er nahm Violettas Klage in ihrer Scena ed Aria aus dem 1. Akt wörtlich, die einsamste Frau der Welt – »sola, abbandonata« – zu sein. Seine Violetta, von Nicole Chevalier mit stupender stimmlicher wie darstellerischer Präsenz verkörpert, lebt in einem Zimmer, in dem einige Requisiten an ein anderes Leben gemahnen, darunter ein pinkfarbenes Ballkleid mit einer übergroßen Kamelienblüte im Ausschnitt. Ob die Geschichte, die das Libretto erzählt, überhaupt nur eine psychotische Einbildung oder vielleicht wenigsten

Christine Schäfer im Gespräch mit dem Dirigenten Sylvain Cambreling und dem Regisseur Christoph Marthaler während der Proben zu »La Traviata« in Paris 2007.

eine Erinnerung an bessere Zeiten darstellt, bleibt offen. Violetta agiert die gesamte Oper hindurch allein auf der Bühne und rückt ihrem Publikum, wenn sie durch die Reihen klettert oder sich mit Fragen außerhalb des Librettos direkt an die Zuschauer wendet, buchstäblich zu Leibe, sodass dieses sich auch hier den sonst auf der Bühne so fernen Ereignissen nicht entziehen kann. Die Handlung selbst aber, die nächtlichen Amüsements, die große Liebe, der tragische Verzicht, spielt sich offensichtlich nirgendwo anders als in ihrem Kopf ab. Die übrigen Rollen bleiben unsichtbar, sind nur zu hören. Von Peter erzählt Violettas Schicksal als quälende Fantasie einer völlig auf sich allein zurückgeworfenen Frau, die den Stimmen in ihrem Kopf nicht entfliehen kann.

Jenseits der Opernbühne: »La Traviata« auf CD, im Film, als Ballett und als Filmmusik

Musikalische Interpretationen: Violetta auf Tonträgern

Arturo Toscanini, einige Jahrzehnte Sachwalter Verdis in der ganzen Welt, bezog bei der Frage, ob der Dirigent oder die Sänger die musikalischen Entscheidungen zu treffen hätten, eindeutig Position. Er näherte seine Tempi den Vorgaben der Partitur ohne Rücksicht auf vokale Eitelkeiten oder interpretatorische Traditionen wieder an, mit dem Ergebnis, dass diese Tempi zunächst wie ein heilsamer Schock wirken mussten. Es waren freilich nicht nur die Tempi, mit denen Toscanini die *Traviata*-Partitur von der Patina unzähliger von Sängerstars gestalteter Interpretationen befreite, sondern vor allem der barsche, bisweilen fast ordinäre Zugriff auf diese Musik, mit der Verdi die Vulgarität der ebenso vergnügungssüchtigen wie mitleidlosen Demi-Monde beschrieben hatte. Toscanini holte die Schamlosigkeit in die *Traviata*-Interpretation zurück. Der Mitschnitt jener New Yorker Probe von 1946, in der der 79-jährige Toscanini mit dem Orchester das Finale des 2. Aktes, den Zigeunerinnen-Chor und die Spielszene in Floras Haus bespricht, macht dies nicht nur anhand

Arturo Toscanini (1867–1957) gehört zu den einflussreichsten Verdi-Dirigenten.

der fast kruden Akzente und der gewollten Grobheit der Orchesterklänge deutlich, sondern auch an Toscaninis hineingesungener Interpretation allen dazugehörigen Gesangs. Daneben aber war seine musikalische Deutung der anderen, in Violettas Liebe und Opferbereitschaft sich artikulierenden Sphäre von einer Innigkeit und einer musikalischen Empathie, die die zwei Seiten der Geschichte, die öffentliche der Lustbarkeiten und die private der Liebe, deutlicher zum Ausdruck brachte als jede Interpretation zuvor.

Carlos Kleiber, dessen Studioaufnahme von 1977 vielleicht die bedeutendste *Traviata*-Einspielung der letzten Jahrzehnte darstellt, folgte Toscanini in der Kompromisslosigkeit, mit der er die Partitur vom Orchester aus gestaltete. So blendend seine Sänger – Ileana Cotrubas, Plácido Domingo und Sherrill Milnes – ihre Rollen verkörpern: Kleiber entwickelte das Drama auf der Grundlage einer Orchesterinterpretation, die nicht anders denn als modellhaft bezeichnet werden kann. In den großen Festszenen setzte er Verdis Idee des musikalischen, mit quasi-ostinat agierenden Orchestermotiven breitflächig konstruierten Bühnenbodens konsequent um und gab den Sängern dadurch nicht weniger, sondern mehr Freiheit zu individueller Gestaltung, weil das Orchester gleichsam unbeteiligt blieb. Die Musik des Sterbens dagegen, der Beginn des 3. Aktes wie auch die ersten Takte des Preludio, sind in Kleibers Interpretation von schier überirdischer Grazie und setzen dem Talmi-Gefunkel der Halbwelt das Versprechen eines himmlischen Glanzes im Jenseits entgegen.

Es ist bezeichnend, dass die Kritik an Toscaninis wie auch an Kleibers Einspielung sich vor allem an der Leistung der Sänger entzündete – als seien sie dem Anspruch des Dirigenten an die musikalische Qualität nicht gerecht geworden. Nun ist sängerische Leistung zu beschreiben und zu bewerten ein in hohem Maße subjektives Unterfangen, das darüber hinaus ohne eine Vorliebe für plastisch-sprechende Adjektive nicht auskommen kann. Kein Überblick über die Geschichte der Traviata-Interpretation ist aber vollständig, ohne den Einfluss Maria Callas' auf die Ausgestaltung dieser Rolle zu betonen, die in den Fünfzigerjahren des 20. Jahrhunderts ungeachtet wachsender stimmlicher Probleme zu einer bis heute verehrten Ikone der Traviata-Darstellung gedieh. Welche Ungerechtigkeit diese Einschätzung gegenüber, allen voran, ihrer Konkurrentin Renata Tebaldi bedeutet, machen zwar die Tondokumente hörbar. Einmal mehr aber entstand dieser Mythos von der idealen Violetta abgesehen von der sängerischen Leistung vor allem aus der Magie des unwiederholbaren Moments der Aufführung, aus der Bühnenpräsenz dieser ebenso faszinierenden wie offensichtlich fragilen Persönlichkeit einer Sängerin,

deren private Geschichte sich in der Wahrnehmung des Publikums zunehmend in ihre Rollengestaltung mischte. Keine filmische Dokumentation gibt über ihre legendären Traviata-Interpretationen an der Mailänder Scala 1955, am Lissabonner Teatro Nacional im Mai 1958 und im Londoner Covent Garden im Juni 1958 Auskunft. Dennoch erschließt sich die darstellerische Kraft der Callas auch aus ihrem Gesang, der für eine ganze Generation von Sängerinnen zum Vorbild werden sollte – nicht die zahlreichen misslungenen Töne wie etwa das hohe *a* am Schluss von »Addio, del passato«, das sie weder in Lissabon noch in London so recht mehr traf, sondern die unendlich vielen Details der stimmlichen Ausgestaltung einer szenischen Situation, seien es die Portamenti, Glissandi und Appoggiaturen, mit denen sie den Noten dramatische Farbe verlieh, sei es die Frivolität

Der Regisseur Luchino Visconti während einer Probe zu »La Traviata« mit Maria Callas 1955 an der Mailänder Scala.

der fast ironisch spitz gesungenen Koloraturen, mit denen sie im 1. Akt Alfredo verspottet und gleichzeitig von einem kurzen Moment innigen Gefühls übermannt wird. Maria Callas verkörperte wohl wie keine zweite Sängerin jenes Ideal einer Darstellerin, die Verdis Oper in den Bereich des Theaterschauspiels zurückzuführen imstande war. Und gerade weil die Opulenz der Inszenierung Luchino Viscontis in Mailand 1955 nur in wenigen Szenenfotos dokumentiert ist, konnte sie sich ins kollektive Gedächtnis als einer der ultimativen Höhepunkte der *Traviata*-Interpretation einschreiben und zur Legende werden.

Violetta auf der Leinwand: Verfilmungen der Oper

Während die Ästhetik des Regietheaters auf den Opernbühnen vor allem des deutschsprachigen Raums sich inzwischen so dauerhaft etabliert hat, dass eine traditionelle Inszenierung in Kostüm und Interieur des 19. Jahrhunderts fast schon Verwunderung auslösen würde, setzen die Verfilmungen der *Traviata*-Oper ganz auf die Verschwendung und die Dekadenz der Pariser Demi-Monde zu Zeiten der Kameliendame. Wenn Franco Zeffirellis 1982 gedrehte *Traviata*-Verfilmung nicht nur ein künstlerischer, sondern vor allem ein großer kommerzieller Erfolg wurde, so sicherlich auch deshalb, weil er die Geschichte wie in einem Kostümfilm erzählte; tatsächlich wurde der Film für den Oscar in den Sparten Regie und Kostümdesign nominiert und gewann den British Academy Film Award als bester fremdsprachiger Film auch für Kostüme und Ausstattung. Die Opulenz der Szenerie ist nicht nur in Violettas Pariser Wohnung überwältigend; auch die ländliche Idylle zu Beginn des 2. Aktes, die Zeffirelli als gewächshausgroßen Wintergarten abbildete, macht auf den ersten Blick plausibel, warum Violetta ihr Vermögen dafür hergeben muss. Bis heute, dreißig Jahre nach seiner Entstehung, scheint dieser Film mit seiner historischen Detailgenauigkeit in der Ausstattung wie in den Kostümen wenig gealtert.

Zeffirelli, im Umkreis Luchino Viscontis zum Film- und Opernregisseur herangewachsen, hatte *La Traviata* schon mehrfach auf dem Theater inszeniert, darunter 1958 in Dallas mit Maria Callas. Wie er in einem Interview mit der *New York Times* anmerkte, hatten viele ihm geraten, diese schon damals als filmisch empfundene Inszenierung tatsächlich auch als Film herauszubringen. Zeffirelli hielt die Callas auf der Bühne zwar für die Idealbesetzung, mit ihren etwas groben Gesichtszügen aber nicht für die Leinwand geeignet. Er fand seine ideale Film-

Violetta in der griechisch-kanadischen Sängerin Teresa Stratas, die mit ihren zerbrechlich zarten Zügen, den großen dunklen Augen in einem herzförmigen, ebenmäßigen Gesicht auch in Großaufnahme wie eine Reinkarnation jener Marie Duplessis wirkt, deren Schönheit uns die bekannte Portraitminiatur überliefert hat (siehe S. 28).

Einige Kürzungen und Abänderungen der Partitur wurden dem Film vor allem von Musikliebhabern vorgeworfen; wen der Film als Medium mit einer eigenen Bildsprache interessierte, den focht diese Nonchalance gegenüber dem ursprünglichen Kunstwerk der Oper nicht an. Filmliebhaber bewunderten eher die genuin filmischen Ideen, mit denen Zeffirelli die für die Bühne konzipierte Geschichte anreicherte – so etwa die Rückblende auf die fast kitschig in weichzeichnendes Sommerlicht getauchte provenzalische Verlobung, von der Vater Germont Violetta in seiner Arie »Pura siccome un angelo« erzählt und ihr vor Augen führt, was passieren würde, wenn sie Alfredo nicht freigäbe. Mit ähnlichen Überblendungen füllte Zeffirelli mehrfach die Zeit, die eine Arie dauerte, um dem Zuschauer mehr als einen (im Playback) singenden Weltstar wie etwa auch Plácido Domingo in der Rolle des Alfredo zu präsentieren. Dass Domingo für die Partie des jugendlichen Heißsporns eigentlich nicht mehr jung genug war, macht sein intensives Spiel vergessen. Filmische Mittel gaben auch seinen schmelzenden Einwürfen in Violettas Cabaletta »Sempre libera degg'io« am Ende des 1. Aktes, die laut Szenenanweisung von draußen »unter dem Balkon« hereintönen sollen, eine andere Bedeutung: Im Film erscheint Alfredo wie ein Geist neben Violetta und verschwindet wieder, wenn sie die Hand nach ihm ausstreckt; die Melodie, dieselbe, mit der er ihr seine Liebe gestanden hat, wird auf diese Weise zu einem Teil der emotionalen Verwirrung, die Alfredos Werbung in ihr ausgelöst hat.

Teresa Stratas als Violetta auf dem Cover der DVD von Franco Zeffirellis »Traviata«-Verfilmung aus dem Jahre 1982.

Wie genau Zeffirelli bei aller visuellen Detailversessenheit auch Verdis Partitur zu lesen wusste, macht sein Umgang mit dem Preludio und der dramaturgischen Gesamtanlage deutlich. Es gelang ihm dabei, die Erzählweise des Romans in die Oper zurückzuholen. Dumas' Roman

La Dame aux camélias lebt von den vielfach ineinander verschränkten Erzählebenen. Er beginnt mit dem Ich-Erzähler, der, durch eine öffentliche Bekanntmachung angelockt, zu der Versteigerung all der Möbel und Kostbarkeiten der verstorbenen Kurtisane Marguerite Gautier geht und dort etwas ersteigert, was ihm später die Bekanntschaft Armand Duvals einträgt, der dann die Geschichte seiner großen Liebe zu jener Marguerite, der Kameliendame, vor ihm ausbreitet. Diesen Beginn des Romans integrierte Zeffirelli in die Ouvertüre und machte mit dem Mittel der Rückblende auch die Zeitebenen der Partitur deutlich. Denn das Preludio beginnt mit der Musik, die dann wieder zu Beginn des 3. Aktes in Violettas Sterbezimmer erklingen wird. Verdi erzählt die Geschichte von ihrem Ende her, und Zeffirelli machte diese musikalische Rückblende mit seinen Bildern sichtbar. Zu den Klängen des Preludio fährt die Kamera in eine verlassene Luxuswohnung mit abgedecktem Mobiliar und begleitet zwei Herren bei ihrem Rundgang durch diese gespenstische Szenerie; andere Personen machen sich bereits bei den Dekorationsgegenständen zu schaffen. Ein junger Mann lässt seinen Blick umherschweifen und bleibt bei dem Gemälde hängen, das eine schöne junge Frau zeigt – in diesem Moment ist das Preludio bei dem Zitat des »Amami, Alfredo« angelangt. Gleichzeitig sieht er einen Priester vorbeieilen, folgt ihm und erblickt die portraitierte Frau sterbend in ihrem Schlafzimmer. Die Kamera begleitet nun Violetta, wie sie sich von ihrem Bett erhebt und durch ihre Wohnung irrt, während im Hintergrund Gläubiger und Schaulustige weiter die Habseligkeiten der Skandalkurtisane inspizieren. Wenn das Preludio zu Ende ist und die Eröffnungsmusik des 1. Aktes einsetzt, horcht Violetta auf – zwischen den Gaffern sind plötzlich auch die Gäste zu sehen, mit denen Violetta früher ihre Feste gefeiert hat. Und nach einem Schnitt, der ihren ersten Worten vorausgeht, ist sie selbst dann Teil der Party; von nun an vollzieht sich das Geschehen des 1. und des 2. Aktes in ihrer Erinnerung. Wenn das Preludio des 3. Aktes beginnt, ist Violetta wieder in der Realität des Sterbezimmers angekommen; der Rest der Handlung spielt in der dargestellten Zeit.

Zeffirellis Filmkulissen verbanden sich in ihrer artifiziellen Kostbarkeit so kongenial mit Verdis Musik, dass sie zusammen genommen eine eigene Realität bildeten. Spätere Versuche, die Oper nunmehr an so etwas wie Originalschauplätzen zu spielen und ihr damit Aktualität zu verleihen, bewirkten eher das Gegenteil. Das Großprojekt *La Traviata à Paris*, im Jahre 2000 von französischen und italienischen Fernsehsendern gemeinsam produziert, strahlte die Geschichte vom Leben und Sterben der Violetta Valéry in einer Aufmachung aus, als wäre sie ein

Terrence McNallys »The Lisbon Traviata«

Mit seinem Theaterstück *The Lisbon Traviata* trug der amerikanische Autor Terrence McNally zur *Traviata*-Rezeption in besonderer Weise bei. *The Lisbon Traviata*, 1985 in New York uraufgeführt, spielt in der New Yorker Schwulenszene: Mendy und sein früherer Lover Stephen, beide leidenschaftliche Opernliebhaber, geraten sich über dem ursprünglich illegal aufgenommenen, nun aber in den Handel gekommenen Mitschnitt jener legendären Lissabonner Aufführung der *Traviata* mit Maria Callas und Alfredo Kraus aus dem Jahre 1958, die jahrelang nur unter dem Ladentisch gehandelt wurde, so sehr in die Haare, dass die Grenzen zwischen Realität und Opernszene beinahe unkenntlich werden – etwa wenn Mendy am Schluss des 1. Aktes zum Brieföffner greift und Stephen mit den Worten von Puccinis Tosca, als sie Scarpia ersticht, spielerisch zu ermorden vorgibt. Wie die beiden sich mit ihrem überbordenden Wissen über das Opernrepertoire, vor allem aber über die Opernsänger im Allgemeinen und Maria Callas im Besonderen gegenseitig zu übertrumpfen versuchen, ist zwerchfellerschütternd komisch. Einer der Höhepunkte ist dabei Stephens Bekenntnis: »Ich hasse Kammermusik. Niemand stirbt in Kammermusik.«

Umso größer ist die Fallhöhe, wenn Stephen im 2. Akt von *The Lisbon Traviata* in der Realität seiner Beziehungsprobleme aufschlägt und seinen derzeitigen Lover Mike mit einem unbekannten jungen Mann überrascht. Mike wirft Stephen vor, in der Welt der Oper, nicht aber im gemeinsamen Alltag zu leben. Derweil lauscht Stephen der Lissabonner *Traviata*. »Ich habe die letzte halbe Stunde damit verbracht, zu dir durchzudringen. Ich habe die letzten acht Jahre damit verbracht. Du lebst in *Tosca*, du lebst in *Turandot*. Du lebst in einer Oper, von der niemand etwas gehört hat. Es ist schwer, jemanden wie dich zu lieben.« Wie zum Beweis, dass Mike mit diesem Vorwurf recht hat, ist Stephen ganz bei der Callas: »Maria macht diese Passage besser als irgendwer sonst«, lautet seine Antwort auf dieses Gesprächsangebot. Als Mike ihm daraufhin die Partnerschaft aufkündigt, schlägt die Komödie in eine Tragödie und das Theaterstück einmal mehr in große Oper um: Stephen ergreift eine Schere und ersticht zu den Worten, mit denen Don José in Bizets Oper Carmen tötet, seinen Liebhaber.

Ereignis für Boulevard-Berichterstattung à la *Brisant* oder *Leute heute*. In Gewändern der Belle Époque, an Originalschauplätzen wie dem Hôtel de la Rochefoucauld-Doudeauville oder dem Petit Palais, einer Halle für die Pariser Weltausstellung 1900, schließlich auch Marie Antoinettes dörflichem Weiler im Park von Versailles für die ländliche Idylle des 2. Aktes wurde die Geschichte mit immensem technischem Aufwand in mehreren, über Tage verteilten Etappen nach eigenem Bekunden live übertragen und in allen fünf Kontinenten gesendet: Ein Unterfangen, das gerade durch die Bemühungen um Realismus deutlich machte, dass Oper eben doch ein Kunstprodukt und von der Realität weit entfernt ist.

Violetta – Margherita – Marguerite – Marie – Alphonsine: Eine unendliche Film-Geschichte

Gäbe es Verdis *La Traviata* nicht – Dumas' Roman *Die Kameliendame* und sein gleichnamiges Theaterstück wären heute ebenso vergessen wie all die anderen Skandalromane und -schauspiele aus dem 19. Jahrhundert, in denen die Unmoral, das Nachtleben, die Kurtisanen die Hauptrolle spielten. Die sexuelle Revolution einerseits und der medizinische Fortschritt andererseits hätten wohl dafür gesorgt, dass das Interesse an der tuberkulosekranken Edelprostituierten Marguerite Gautier schnell abgeflaut wäre, weil ihr Schicksal nicht mehr in die Zeit passte. Doch die anhaltende Popularität von Verdis Musik wirkte und wirkt auf Roman und Drama, auf historische Realität und Fiktion zurück. Die Opernheroine Violetta Valéry war aus einer Dramen- und Romanfigur hervorgegangen, die ihrerseits eine reale, jüngst verstorbene Person zum Vorbild hatte. Umgekehrt hält nun Verdis Musik das Interesse nicht nur an Violetta, sondern auch an Marguerite Gautier und sogar an Alphonsine Plessis am Leben. In der schauspielerischen, tänzerischen und filmischen Rezeption der Geschichte von Liebe und Tod, von Sinnentaumel und Krankheit spielt Verdis Oper die entscheidende Rolle – selbst wenn sie gar nicht erklingt.

Das war nicht von Anfang an so. Lange Zeit waren Dumas' Schauspiel und Verdis Oper gleichermaßen und unabhängig voneinander erfolgreich. In der zweiten Hälfte des 19. Jahrhunderts hatten zahlreiche namentlich französische Aktricen die Rolle der Marguerite Gautier im Repertoire. Ende des 19. Jahrhunderts lieferten sich Sarah Bernhardt und Eleonora Duse, die französische und die italienische Bühnengöttin ihrer Zeit, ein Duell um die europaweit berühmteste Interpretation der Marguerite Gautier. Sarah Bernhardt verewigte 1911 ihre Darstellung in dem in Frankreich produzierten Stummfilm *La Dame aux camélias*. Zehn Jahre später versetzte der amerikanische Stummfilm *Camille* (eine Anspielung auf »Kamelie«) die Handlung aus der Mitte des 19. Jahrhunderts in die

Gegenwart der 1920er-Jahre. Neben Alla Nazimova als Marguerite spielte kein Geringerer als Rudolph Valentino den Armand Duval. Paradoxerweise dürfte gerade der Stummfilm dazu beigetragen haben, die *Kameliendame* von dem Makel des Anstößigen zu befreien – ebenso wie Verdis Musik. Denn wie die Oper musste auch der Stummfilm, wenngleich aus entgegengesetzten Gründen, die Handlung von allzu vielen Worten entlasten und auf ihren Kern reduzieren; die frivole Konversation, die ein Großteil des Dramas ausgemacht hatte, musste für die Dialogeinblendungen im Stummfilm auf ein Minimum reduziert werden. Übrig blieb die große Liebe und das tragische Ende.

Als Lillian Gish Marguerite in einer ebenfalls *Camille* betitelten Broadway-Produktion im Jahre 1932 verkörperte, wurden durch sie die Schwierigkeiten im Übergang vom Stummfilm zum gesprochenen Drama deutlich. Gish, als Stummfilmstar nicht nur für ihr ausdrucksstarkes Spiel, sondern auch für ihre ätherisch zarte Erscheinung berühmt, hatte mit der Theaterdeklamation große Probleme. Über ihre Marguerite-Darstellung äußerte der überaus einflussreiche Theaterkritiker Brooks Atkinson: »Während der gesamten Aufführung scheint ihre winzige, keusche kleine Camille recht ahnungslos hinsichtlich der Vergütung, der Pflichten und der Rechte einer Kurtisane zu sein.« Und der Schriftsteller Richard Lockridge machte für diese unpassend kleinmädchenhafte Darstellung vor allem ihre »helle, klare, kleine, leidenschaftslose« Stimme verantwortlich. Marguerite Gautier schien das Ordinäre endgültig abgestreift zu haben.

Auch Greta Garbo, die 1936 neben Robert Taylor als Armand Duval in George Cukors *Camille* (deutscher Titel: *Die Kameliendame*) in der Rolle der Marguerite brillierte und für den Oscar nominiert wurde, repräsentierte eher eine Gesellschaftsdame als eine Prostituierte. Bemerkenswert ist dieser Film aber vor allem, weil er die auf Dumas' Schauspiel basierende Geschichte mit Verdis Musik verband. Musikalisches Leitthema des Films ist eine orchestrale Version von Violettas Arie »Ah, fors'è lui che l'anima«, die zunächst der Titelei des Films unterlegt ist und später immer wieder erklingt. Sie begleitet eine Liebesszene mit Armand auf dem Land, die Briefszene und den Abschied von Armand, schließlich auch die Sterbeszene. Am Ende des Films, wenn Marguerite tot ist, wendet sich das Moll der Arie nach Dur, so als wolle die Musik die Tragödie in ein transzendentes Ereignis verwandeln.

So selbstverständlich die Kombination von Dumas' Schauspiel und Verdis Oper anmuten mag – sie scheint eine neue dramaturgische Idee gewesen zu sein, die erst später von anderen Regisseuren aufgegriffen wurde. Zu dem Film mit Sarah Bernhardt von 1911, für den William

H. Bryant die Begleitmusik zusammenstellte, erklingen neben Originalkompositionen zwar Werke von Felix Mendelssohn Bartholdy, Peter Tschaikowsky, Edvard Grieg, Jacques Offenbach, Richard Wagner und sogar eine Passage aus Giacomo Puccinis *La Bohème*, wenn die sterbende Camille auf ihrem Bett liegend gezeigt wird, aber keine einzige Note aus *La Traviata*. Gerade das *Bohème*-Zitat, aus der anderen Oper, in der die Protagonistin an Schwindsucht stirbt, macht deutlich, dass der Verzicht auf Verdis Oper keine Unachtsamkeit, sondern gewollt ist. Zu Beginn des 20. Jahrhunderts verliefen die Rezeptionslinien von Schauspiel und Oper noch getrennt; erst durch Cukors Film verbanden sie sich zu einer gemeinsamen Tradition.

Diese Tradition, Dumas' Geschichte mit Verdis Musik zu verbinden, kam in einer späten Adaption erneut zum Tragen, auch wenn der italienische Filmregisseur Mauro Bolognini in seiner italienisch-französischen Koproduktion mit dem Titel *La storia vera della signora delle camelie* (Die wahre Geschichte der Kameliendame) 1981 mit Isabelle Huppert in der Rolle der Alphonsine Plessis einen gänzlich anderen Zugang suchte. Der Film folgt Alphonsines Lebensweg von den Anfängen in Armut und Hunger in der Obhut ihres Vaters, der sie an einen Nachbarn verkauft, über die erste Zeit in Paris, die Straßenprostitution, den Aufstieg über die Betten immer reicherer, immer vornehmerer Herren, darunter der alte Baron von Stackelberg (Fernando Rey), der sie auf den Weg der Ehrbarkeit führen will, über die Heirat mit dem rauschgiftsüchtigen Édouard de Perregaux (Bruno Ganz) bis hin zu ihrer großen Liebe Alexandre Dumas dem Jüngeren (Fabrizio Bentivoglio), dessen Vater dafür sorgt, dass Alphonsine seinen Sohn verlässt. Alphonsines Vater (Gian Maria Volonté), Schutzgeist und Teufel in einer Person, folgt seiner Tochter wie ein Schatten, ist ihr in inzestuöser Zuneigung verbunden, zieht seinen pekuniären wie gesellschaftlichen Nutzen aus dem Aufstieg der Tochter, ist aber auch der einzige, der ihr in der Stunde des Sterbens Beistand leistet.

Bolognini orientiert sich an der überlieferten Geschichte, soweit sich diese aus den Nachrufen von Théophile Gautier und Jules Janin überhaupt rekonstruieren lässt. Roman und Schauspiel von Dumas dem Jüngeren spielen nur insofern eine Rolle, als sie die Rahmenhandlung für die »wahre Geschichte« bilden. Der Film beginnt mit einer Theaterprobe. Im abgedunkelten Theater sitzen der Regisseur und weitere in die Produktion des neuen Stücks involvierte Personen, darunter auch, halb verborgen und abseits der Geschäftigkeit, der Autor Dumas selbst. Carla Fracci, Italiens Primaballerina Assoluta in ihrer ersten Filmrolle als Schauspielerin, gibt die Kameliendame in gewohnt eleganter Manier; schließlich

Jules Janin über Marie Duplessis

Durch Jules Janin, den Pariser Journalisten und Schriftsteller, der mit Alexandre Dumas dem Jüngeren und mit Franz Liszt in Verbindung stand, sind wir über Alphonsine Plessis' Leben vor ihrer großen Karriere als teure Lebedame unterrichtet. In seinem Nachruf, der 1858 als Vorwort zu einer neuen Auflage von Dumas' *La Dame aux camélias* erschien, lobte er ihre unvergleichliche Schönheit und ihre Grazie, die sie einer Herzogin gleich erscheinen ließen und selbst die schlimmste Umgebung überstrahlten. Als er sie das erste Mal in einem schäbigen Boulevard-Theater inmitten nicht minder schäbig gekleideter Zuschauer sah, schien es ihm, als würde ein Licht zu leuchten beginnen. Und er fuhr fort:

»Aber als diese einzigartige Frau über die seltsame Schwelle trat und im Foyer erschien, hellte sie das wilde Treiben mit einem einzigen Blick ihrer herrlichen Augen auf. Sie ging über den schmutzigen Fußboden, als würde sie einen Boulevard an einem regnerischen Tag überqueren, wobei sie instinktiv ihr Gewand hob, als wolle sie es vor der Schmutzkruste darunter schützen, und völlig gleichgültig, ob sie auf diese Weise ihren hübsch gesetzten Fuß und ihre runden, in einen offenen Seidenstrumpf gekleideten Knöchel sehen ließ oder nicht. Ihr ganzes Gewand harmonierte mit ihrer jungen und biegsamen Figur, während die leicht blasse Gesichtsfarbe ihres entzückend ovalen Gesichts wunderbar mit der Anmut harmonierte, die sie wie ein köstliches Parfum um sich her verbreitete.«

unterbricht sie sich und fragt den Autor, ob sie wirklich die ganzen fünf Akte hindurch husten müsse. Dumas' Antwort hat etwas Zurechtweisendes: »Sie war keine Herzogin, meine Dame« – will sagen: Spielen Sie die Marguerite weniger routiniert, weniger elegant, dafür ein wenig wahrhaftiger. Die Schauspielerin entschuldigt sich: Sie habe die Kameliendame persönlich nicht gekannt und müsse ihm, dem Autor, deshalb viele Fragen stellen. In diesem Moment beginnt die Rückblende; die Kamera richtet den Blick auf das erbärmliche Milieu, in dem Alphonsine aufwächst.

Kein Geringerer als Ennio Morricone – der Komponist, dem wir die unvergessliche, quälende Mundharmonikamelodie aus *Spiel mir das Lied vom Tod* verdanken – zeichnete für die Musik der *Storia vera della signora delle camelie* verantwortlich. Und obwohl der Film die Geschichte der realen Alphonsine erzählt, nutzte Morricone Verdis *La Traviata*, um die Welt des Theaters von der Welt des sozialen Elends zu trennen. Als

Hintergrundmusik zu der Theaterprobe erklingt die »Amami, Alfredo«-Passage aus dem Preludio der Oper; sie schweigt, wenn die Probe unterbrochen wird, und kehrt erst ganz am Ende des Films zurück, wenn direkt nach Alphonsines mit geradezu unappetitlichem Realismus gezeigtem Tod eine erneute Blende ins Theater zurückführt, wo sich während der Uraufführung von Dumas' *La Dame aux camélias* soeben das schöne Sterben der edlen Marguerite ereignet: Auch dieser perfekt choreografierte Bühnentod, der das Publikum zu spontanem Beifall hinreißt, vollzieht sich zum Klang von »Amami, Alfredo«. Dumas' Schauspiel und Verdis Musik, einst zwei verschiedene Rezeptionsstufen, sind eins geworden gegenüber der »wahren Geschichte«. Es bleibt Alphonsines Vater vorbehalten, die allgemeine Begeisterung über das glamouröse Theaterereignis mit Gedanken über den wahren Tod Alphonsines zu stören; inmitten der Feier der Kunst, die dem Ruhm des Autors dient, erinnert er an das weit weniger anmutige Sterben der jungen Frau.

»Die Kameliendame« als Ballett

Die Rezeptionsgeschichte von *La Dame aux camélias* erstreckt sich nicht nur auf Oper und Film, sondern auch auf das Ballett, wobei die Wahl der Musik, zu der getanzt wird, ein bedeutsames Element der künstlerischen Anverwandlung des Sujets darstellt. 1963 entwarf Frederick Ashton, Chefchoreograf und bald darauf Direktor des Royal Ballet in London, ein abendfüllendes Ballett mit dem Titel *Marguerite and Armand*, mit dem er das neue Traumpaar der internationalen Ballettszene ins rechte choreografische Licht setzen wollte – die zu diesem Zeitpunkt 44 Jahre alte Margot Fonteyn und den 19 Jahre jüngeren Rudolf Nurejew, der zwei Jahre zuvor aus Russland geflohen war. Wie Dumas in seinem Roman, wie auch Verdi durch das Preludio erzählte Ashton die Geschichte in der Rückblende, beginnend mit einem Prolog, dem vier weitere Szenen – »Das Zusammentreffen«, »Auf dem Lande«, »Die Beleidigung« und »Der Tod« – folgten. Franz Liszts h-Moll-Sonate für Klavier diente ihm als musikalische Grundlage, auch weil Liszt einst zum Kreis der Liebhaber Marie Duplessis' gehört hatte; Humphrey Searle, Komponist und Liszt-Forscher, arrangierte sie für das Ballett. *Marguerite and Armand* war das erste Ballett, das Ashton explizit für Fonteyn / Nurejew choreografierte, und es waren denn auch vor allem die Pas des deux, die das Publikum zu Begeisterungsstürmen hinrissen und bei der Premiere am 12. März nicht weniger als 23 Vorhänge forderten. Ursprünglich wollte Ashton seine

Choreografie nicht für andere Tänzer freigeben; inzwischen wird *Marguerite and Armand* auch andernorts getanzt.

Den Schluss seines Balletts hatte Ashton ungeachtet der Rückblende Dumas' Dramenversion und nicht dem Roman entnommen: Marguerite stirbt wie auf der Schauspielbühne in Armands Armen. John Neumeier dagegen bezog sich, als er 1978 *Die Kameliendame* für Marcia Haydée und das Stuttgarter Ballett choreografierte, ausdrücklich nur auf den Roman. Mit dem permanenten Wechsel zwischen Erzählsituationen und Rückblenden gelingt es Neumeier, die Erzählweise des Romans in seine Choreografie zu über-

Franz Liszt auf einem 1847, kurz nach dem Tod von Marie Duplessis entstandenen Ölgemälde des Budapester Malers Miklós Barabás.

führen. Dabei müssen die Dialoge zwischen dem trauernden Armand und seinem Vater als Haupthandlung verstanden werden, während die Episoden seiner Liebe zu Marguerite auf der Bühne zwar das Wesentliche, dramaturgisch aber nichts als Erinnerungen sind. Am deutlichsten wird der Bezug auf den Roman am Schluss des Balletts: Bei Neumeier stirbt Marguerite allein – Armand erscheint ihr in einer kurzen Vision, ist aber nicht tatsächlich anwesend. Und mit einem weiteren choreografischen Kunstgriff verwies Neumeier ebenfalls auf den Roman. Denn dort geht es um ein Exemplar des Romans *Manon Lescaut* mit handschriftlichen Eintragungen Marguerites, das der Ich-Erzähler aus ihrem Nachlass ersteigert und das ihm später die Bekanntschaft Armand Duvals einträgt, weil dieser selbst das Buch besitzen möchte. Mit der Erwähnung von *Manon Lescaut*, dem Roman über eine lebenslustige Kurtisane, die mit ihrem treuen Liebhaber Des Grieux zugrunde geht, spielt Dumas auf Ähnlichkeiten seiner Geschichte mit dem populären Buch des Abbé Prévost aus dem Jahre 1731 an. Neumeier griff diese Anregung auf und spiegelte die beiden Geschichten, indem er sein Ballett bei der Aufführung eines Balletts über *Manon Lescaut* in einem Varietétheater beginnen lässt. Bevor sie sich kennen lernen, spüren Marguerite wie auch Armand eine Seelenverwandtschaft mit den dargestellten Personen; diese Spiegelung in dem Schicksal der Rokoko-Kurtisane und ihres Liebhabers zieht sich wie ein roter Faden durch die Handlung. Noch in ihrem Fieberwahn kurz vor ihrem Tod sieht Marguerite Manon in ihrem Elend, und sie kann kaum mehr unterscheiden, ob es nicht ihr eigenes Elend ist.

Nach anfänglichen Überlegungen, *La Traviata* für seine Choreografie zu bearbeiten, fand Neumeier eine andere musikalische Lösung: Er legte dem Ballett Kompositionen von Frédéric Chopin zugrunde – Préludes, Ecossaisen, Walzer und Balladen, aber auch Klavierkonzerte. Als musikalische, immer wiederkehrende Signatur diente ihm das Largo aus der h-Moll-Sonate op. 58 von 1844. Warum Chopin? Die Wahl hat sicherlich zuallererst mit dem romantischen Tonfall der Musik zu tun. Durch Chopin, der in Paris nicht weit von Marie Duplessis entfernt gewohnt hatte und zwei Jahre nach ihr ebenfalls an Tuberkulose starb, verwies Neumeier aber einmal mehr auch auf die historische Realität der Geschichte.

Wie recht Neumeier mit seinem Entschluss hatte, für seine getanzte Version der *Kameliendame* von Verdis Musik Abstand zu nehmen, macht ausgerechnet eine russische Ballettversion deutlich, die sich explizit auf *La Traviata* bezieht. Sie wurde in den 1990er-Jahren erstmals aufgeführt und 2004 auf DVD veröffentlicht. Ob die Bearbeitung von Verdis Partitur für Orchester von Natalia Kasatkina und Vladimir Vasilyov, den

Choreografen des Moskow Classical Ballet, ausging oder der Bearbeiter P. Salnikov eine Orchesterpartitur erstellte, die dann choreografiert wurde, lässt sich nicht ausmachen. Das Ergebnis freilich ist eine krude musikalische Paraphrase über Motive der Oper, unter denen »Amami, Alfredo« auch an Stellen erklingt, wo es partout nicht hingehört, außerdem eine Mischung aus klassischem Ballett und Ausdruckstanz, verbunden mit einer Handlung, die mit Verdis Oper rein gar nichts und mit Dumas' Roman und Drama auch nur entfernt zu tun hat. Kasatkina und Vasilyov greifen Anregungen aus Neumeiers Choreografie auf, wenn sie im Opernhaus ein Ballett mit den Titel *Alcesta* aufführen lassen, das die Konfliktkonstellation von Armand, seinem Vater und Marguerite spiegelt. Ansonsten aber haben sie Mühe, die Musik mit getanzter Handlung zu füllen, und bieten eine Schiffsfahrt, eine Lungenheilanstalt und die kirchliche Heirat von Armands Schwester auf, um Verdi etwas entgegenzusetzen. Dass das Duett zwischen Violetta und Germont im 2. Akt der Oper dabei die größten Schwierigkeiten macht, darf angesichts seiner Länge und der direkt auf den Dialog bezogenen Musik nicht verwundern; es mit der Ballettszene und dem Aufeinandertreffen Marguerites und der Germont-Familie samt Alfredos Schwester und Verlobtem zu bebildern, bestätigt Neumeiers Bedenken, ein Ballett über die Kameliendame mit Verdis Musik zu unterlegen. Dass Musik und Szene sich in dem Moskauer *Traviata*-Ballett nicht immer erfolgreich ergänzen, trägt bisweilen zu eher unfreiwilliger Komik bei.

»La Traviata« als Filmmusik

Die eingängigen Melodien aus *La Traviata* haben sich über Jahrzehnte hinweg im kollektiven Gedächtnis so fest etabliert, dass ihr Symbolwert zahlreichen Filmregisseuren dazu dient, ihre Geschichten nicht nur mit Bildern und Dialogen, sondern auch mit Musik zu erzählen. Als einer der Ersten nutzte Luchino Visconti in seinem Erstlingswerk *Ossessione* 1943 Musik aus *La Traviata* in sinnbildhafter Weise. *Ossessione* (Besessenheit) handelt von dem ältlichen, unattraktiven Gastwirt und Tankstellenbesitzer Bragana, seiner jungen Frau Giovanna, die ihn nur des Geldes wegen geheiratet hat, und dem Landstreicher Gino, mit dem Giovanna eine leidenschaftliche Affäre beginnt, nachdem sie ihren Mann dazu überredet hat, Gino als Mechaniker einzustellen. Nach einiger Zeit will Gino der für ihn unerträglichen Situation ein Ende machen und mit Giovanna fliehen. Weil sie ihm aber nicht folgen will, verlässt er sie. Als sich die beiden nach Monaten zufällig begegnen, bricht die alte Leidenschaft sofort wieder hervor. Sie beschließen, Bragana umzubringen und stellen den Mord als Autounfall dar. Danach aber ist nichts mehr, wie es vorher war. Giovanna profitiert von Braganas Tod, sie übernimmt den Gasthof und kassiert eine Lebensversicherung. Gino dagegen, von Schuldgefühlen geplagt, sieht sich erneut gefangen. Er verlässt Giovanna, geht nach Ferrara und findet dort Zuflucht bei einer verständnisvollen Prostituierten. Noch einmal trifft er auf Giovanna; die beiden beschließen zu fliehen, als sie von der Polizei gesucht werden, und verursachen einen Autounfall, bei dem Giovanna stirbt. Mit Ginos Festnahme endet der Film.

Ossessione, noch zu Zeiten Mussolinis gedreht, gilt als der erste Film des italienischen Neorealismus – jener neuen, gegen den Faschismus und seine Filme gerichteten Nachkriegsästhetik, in der das Heute, die tatsächlich existierenden Landschaften, die ungeschminkte Realität der kleinen Leute dargestellt werden sollten. All dies ist in *Ossessione* bereits verwirklicht, ohne dass dieser Film politisch oder sozialkritisch wäre. Gleichzeitig inszeniert Visconti das Drama in einer Weise, die seine Verbundenheit mit den Regeln der Operndramaturgie deutlich werden lässt. Der Moment der Wiederbegegnung, der die Katastrophe einleitet, ist Teil einer Szene, in der die Musik Entscheidendes zum Verständnis des Dramas beiträgt. Gino und Giovanna treffen in einer Kneipe in Ancona aufeinander, wo Bragana an einem Gesangswettbewerb teilnimmt. Und während der dicke Tankwart auf der Bühne mehr schlecht als recht, aber mit großer Emphase »Di Provenza il mar, il suol« schmettert, sitzen sich Giovanna und Gino am Tisch gegenüber und erneuern ihre Leidenschaft füreinander. Auf der Heimfahrt werden sie den betrunkenen Bragana ermorden.

Warum singt Bragana ausgerechnet diese Arie, die seit der Uraufführung von *La Traviata* im Verdacht steht, bieder, hölzern, der dramatischen Situation nicht angemessen zu sein? Zum einen macht die Wahl deutlich, wie populär Germonts Hymne auf das Landleben auch wohl deshalb geworden war, weil sich diese Arie von Laien ohne allzu umfangreiche Gesangsausbildung bewältigen ließ. Zum anderen aber konnte Visconti mit dieser szenischen Anordnung genau das Drama beschreiben, das sich da im Getümmel der Kneipe vollzog. Der ahnungslose Ehemann, die Krähwinkelei in Person, ist auf der Bühne zu sehr mit sich und der Musik beschäftigt, um zu sehen, dass seine Frau sich gerade wieder ihrem Liebhaber an den Hals wirft; und das Liebespaar hat so lange Zeit, wie die Arie dauert, um sich erneut zusammenzufinden. Das Komische der Szene – die Unbeholfenheit des Sängers, das Getöse in der Wirtschaft, deren Gäste sich nicht uneingeschränkt den Gesangsdarbietungen widmen – mischt sich mit dem Erschrecken über die Unaufhaltsamkeit der Tragödie, die sich da anbahnt. Germonts »Di Provenza il mar, il suol« ist ja auch ein Aufruf zum Verzicht auf erotische Leidenschaft, zum bürgerlichen Anstand – kurz, zu all dem, was weder Alfredo in *La Traviata* noch Gino und Giovanna in *Ossessione* anstreben. Bragana singt diese Arie nicht nur, er verkörpert selbst die Biederkeit, die sich in ihr artikuliert. Und der Zuschauer ertappt sich dabei, Giovanna in ihrem ehebrecherischen Tun verstehen zu können.

La Traviata ist bis in die Gegenwart hinein als Filmmusik präsent. Jüngstes Beispiel ist Woody Allens *To Rome With Love* (2012), ein Episodenfilm, in dem Penélope Cruz als Prostituierte in einem knallroten, atemberaubend kurzen Kleidchen zu sehen ist. Der Internet-Trailer zu diesem Film ist prominent mit Alfredos Trinkspruch »Libiamo ne' lieti calici« in französischer Akkordeon-Manier unterlegt. Im Film selbst ist dieses Zitat nur einmal kurz, dafür aber mit deutlich ironischem Gestus zu hören – wenn der Bestattungsunternehmer am Morgen sein Geschäft öffnet und eine Kollektion von Urnen vor die Tür stellt, erklingt »Libiamo ne' lieti calici« (Erheben wir die frohen Kelche). In *Harem Suaré* (Nacht im Harem), einer türkisch-italienischen Koproduktion des Regisseurs Ferzan Özpetek aus dem Jahre 1999, lässt der letzte ottomanische Sultan, ein Opernliebhaber, die Schlussszene der *Traviata* in seinem Privattheater aufführen, während draußen in der Stadt Aufstände gegen seine Herrschaft toben. Und Nicole Kidman als Satine ist in *Moulin Rouge* (2001) die vorerst letzte Verkörperung der schwindsüchtigen Kurtisane, der ganz Paris zu Füßen liegt, und die in den Armen ihres Geliebten stirbt.

Mit Penélope Cruz als langbeinigem Callgirl mit dem Herzen auf dem rechten Fleck zitiert Allen einen der erfolgreichsten Filme der letzten Jahrzehnte, in dem *La Traviata* auf mehreren Ebenen präsent ist. Garry Marshalls *Pretty Woman* (1990) erzählt die Geschichte der (an einer Stelle des Films »Bordsteinschwalbe« titulierten) Straßenprostituierten Vivian Ward, die von dem superreichen, als Heuschrecke erfolgreichen Geschäftsmann Edward Lewis für eine Woche gebucht wird. Entgegen der ursprünglichen Abmachung verlieben sich die beiden und finden nach einigen Verwicklungen am Ende zueinander. Die romantische Komödie, deren Unterhaltungswert vor allem von den Hauptdarstellern Julia Roberts und Richard Gere lebt, wird in der Filmkritik generell mit George Bernard Shaws *Pygmalion* und jener Slang sprechenden Blumenverkäuferin Eliza Doolittle in Verbindung gebracht, die von dem Sprachwissenschaftler Henry Higgins zu einer Dame umerzogen wird; dass Vivian Ward mit *La Traviata* allerdings nicht minder eng verbunden ist, macht nicht nur die

Musik deutlich, sondern auch eine zentrale Episode des Films. Aus einer Laune heraus, wohl aber auch, um ihre Gesellschaftsfähigkeit und ihren Charakter zu testen, nimmt Edward Vivian in eine Opernaufführung mit, finanziert ihr ein hinreißend elegantes, knallrotes (siehe oben) Abendkleid und behängt sie mit einem sündhaft teuren Geschmeide. In der Oper wird, wie sollte es anders sein, *La Traviata* gegeben. Statt sich wie die anderen Opernbesucher eher zu langweilen oder diesen Termin mit der Professionalität einer Escort-Lady zu absolvieren, ist Vivian zutiefst ergriffen und von der Musik zu Tränen gerührt; irgendwie scheint sie zu verstehen, dass es ihr eigenes Schicksal ist, das da auf der Bühne verhandelt wird.

Die Nähe der Geschichte von Violetta Valéry zu der von Vivian und Edward wird aber gerade dort betont, wo die beiden Erzählungen voneinander abweichen. Denn anders als *Die Kameliendame* endet *Pretty Woman* glücklich. Nach einer Woche trennen sich die Wege des ungleichen Paares wieder; Vivian kehrt in ihre Behausung zurück. Erst jetzt erkennt Edward, dass er sie liebt, findet ihre Adresse heraus und fällt ihr, für immer und ewig, in die Arme. Als er mit seinem weißen Auto angefahren kommt und über die Feuerleiter zu ihr emporsteigt, erklingt, nunmehr als kommentierende Musik außerhalb der Handlung, »Amami, Alfredo« – nicht als verzweifelte Abschiedsmusik, sondern als Untermalung des Happy Endings. In Hollywood gelten andere Gesetze als auf der Opernbühne.

Anhang

Zitierte und empfohlene Literatur

Abbiati, Franco: Giuseppe Verdi, 4 Bände, Mailand 1959

Adorno, Theodor W.: Dissonanzen. Einführung in die Musiksoziologie, in: Gesammelte Schriften 14, hrsg. von Rolf Tiedemann u. a., Darmstadt 1998

Basevi, Abramo: Studio sulle opere di Giuseppe Verdi, Florenz 1859 (Reprint Bologna 1978)

Budden, Julian: The Operas of Verdi, 3 Bände, London 1973, 1978, 1981, Oxford [2]1992

Chusid, Martin: Drama and the Key of F Major in *La Traviata*, in: Atti del III° congresso internazionale di studi verdiani, Parma 1974, S. 89–121

Csampai, Attila / Holland, Dietmar (Hrsg.): Giuseppe Verdi. La Traviata. Texte, Materialien, Kommentare, Reinbek 1983

Dahlhaus, Carl: Realismus in der Opera seria, in: Dahlhaus, Carl: Musikalischer Realismus. Zur Musikgeschichte des 19. Jahrhunderts, München 1982, [2]1984, S. 82–92

Della Seta, Fabrizio: Introduction, in: Giuseppe Verdi: La Traviata, hrsg. von Fabrizio Della Seta (The Works of Giuseppe Verdi, Serie 1: Operas, Band 19) Chicago / London 1997, S. VII–LVXX

Döhring, Sieghart: Ästhetik und Dramaturgie der Germont-Arie aus *La Traviata*, in: Verdi-Studien. Pierluigi Petrobelli zum 60. Geburtstag, hrsg. von Sieghart Döhring und Wolfgang Osthoff, München 2000, S. 89–106

Döhring, Sieghart / Henze-Döhring, Sabine: Oper und Musikdrama im 19. Jahrhundert (Handbuch der musikalischen Gattungen, Band 13), Laaber 1997

Drenger, Tino: Liebe und Tod in Verdis Musikdramatik. Semiotische Studien zu ausgewählten Opern, Eisenach 1996

Dumas, Alexandre: La Dame aux camélias, mit einem Vorwort von Jules Janin, Paris 1858

Easley, David Bradley: Tonality and Drama in Giuseppe Verdi's *La Traviata*, MM-Thesis Louisiana State University 2005 (http://etd.lsu.edu/docs/available/etd-07112005-183504/unrestricted/Easley_thesis.pdf, Zugriff: 26. 11. 2012)

Gerhard, Anselm / Schweikert, Uwe (Hrsg.): Verdi-Handbuch, Kassel / Stuttgart 2001, 2., überarbeitete und aktualisierte Auflage 2013

Gerhartz, Leo Karl: Klangplädoyer für die humane Gesellschaft: Der Sonderfall *La Traviata* in Verdis Schaffen, in: »Die Wirklichkeit erfinden ist besser.« Opern des

19. Jahrhunderts von Beethoven bis Verdi, hrsg. von Hanspeter Krellmann und Jürgen Schläder, Stuttgart 2002, S. 177–185

Gerhartz, Leo Karl: Die Wirklichkeit als Märchenspiel. Zum Problem des Realismus in Verdis *La Traviata*, in: Zwischen Aufklärung und Kulturindustrie. Festschrift für Georg Knepler zum 85. Geburtstag, Band 2: Musik / Theater, hrsg. von Hanns-Werner Heister, Karin Heister-Grech und Gerhard Scheit, Hamburg 1993, S. 85–93

Goebel, Albrecht: Verdis »Scena« im Spannungsfeld von Konvention und Ausdruck. Briefszenen in *La Traviata* und *Luisa Miller*, in: Intime Textkörper – Der Liebesbrief in den Künsten. 3. Interdisziplinäres Symposion der Hochschule für Musik und Darstellende Kunst Frankfurt am Main 2003, hrsg. von Ute Jung-Kaiser, Bern u. a. 2004, S. 201–218

Hanslick, Eduard: Aus meinem Leben, Berlin 1894

Henze-Döhring, Sabine: *La Traviata* – Verdi e il »drame bourgeois«, in: Verdi-Studien. Pierluigi Petrobelli zum 60. Geburtstag, hrsg. von Sieghart Döhring und Wolfgang Osthoff, München 2000, S. 179–187

John, Nicholas (Hrsg.): Violetta and Her Sisters. *The Lady of the Camellias*: Responses to the Myth, London 1994

Kunze, Stefan: Fest und Ball in Verdis Opern, in: Die »Couleur locale« in der Oper des 19. Jahrhunderts, hrsg. von Heinz Becker, Regensburg 1976, S. 269–278

Luzio, Alessandro: Carteggi verdiani, Band 1–2, Rom 1935; Band 3–4, Rom 1947

Maeder, Costantino: Verdi und das Fest. Zu einer stereotypen Konfiguration in der italienischen Oper des 19. Jahrhunderts, in: »Und Jedermann erwartet sich ein Fest.« Fest, Theater, Festspiele. Gesammelte Vorträge des Salzburger Symposions 1995, hrsg. von Peter Csobádi u. a., Anif / Salzburg 1996, S. 349–358

Micke, Arthur: La Traviata – verführt? – verirrt? – oder vom rechten Wege abgekommen? Über die wahren Schwierigkeiten beim Übersetzen italienischer Opernlibretti ins Deutsche, Mannheim 1998

Osthoff, Wolfgang: »Pianissimo, benché a piena orchestra.« Zu drei Stellen aus *Trovatore*, *Traviata* und *Otello*, in: Verdi-Studien. Pierluigi Petrobelli zum 60. Geburtstag, hrsg. von Sieghart Döhring und Wolfgang Osthoff, München 2000, S. 213–237

Pasticci, Susanna: La Traviata en travesti. Rivisitazioni del testo verdiano nella musica strumentale dell'ottocento, in: Studi verdiani 14 (1999), S. 118–187

Powers, Harold S.: »La solita forma« und »Der Gebrauch der Konvention«, in: Oper heute 12 (1990), S. 147–185

Sala, Emilio: Il valzer delle camelie. Echi di Parigi nella *Traviata*, Turin 2008

Schreiber, Ulrich: Die erfundene Wahrheit. Das musikalische Welttheater Giuseppe Verdis, in: ders.: Opernführer für Fortgeschrittene. Die Geschichte des Musiktheaters, Band 2: Das 19. Jahrhundert, Taschenbuchausgabe, Kassel u. a. 2010, S. 561–681

Glossar

Anapäst: Dreiteiliger Versfuß der Abfolge »kurz-kurz-lang«.

Ancien Régime: Das abschätzig gemeinte Wort von der »alten Herrschaft« entstand während der Französischen Revolution und bezeichnete die überwundene Zeit des Absolutismus.

Appoggiatura: Verzierung einer Note mit einem kurzen Vorschlag.

Arie: Das italienische »Aria« bedeutet, wörtlich übertragen, »Weise« und bezeichnet eine melodisch, periodisch oder rhythmisch regelmäßige Form im Gegensatz zum offenen, an gesprochener Prosa orientierten Rezitativ. Die Operngeschichte hat zahllose Arienformen hervorgebracht. Verdi bevorzugte die zweiteilige Arie mit langsamer Cavatina zu Beginn und rascher Cabaletta zum Schluss, in *La Traviata* auch strophische Formen.

Arioso: Abschnitte arienhafter Deklamation inmitten einer dramatischen, vom Rezitativ geprägten Szene.

Arpeggio: Rasche Dreiklangsbrechungen auf- und abwärts, die »nach Art der Harfe« gespielt werden sollen.

Banda: Italienisch für »Musikkapelle«, in der Regel eine Blasmusikkapelle, die auf den Marktplätzen spielt, in der Oper aber auch für Bühnenmusik wie z. B. Tanzmusik eingesetzt wird.

Belcanto: Italienisch für »Schöngesang«. Der Begriff hat eine lange Geschichte und, je nach dem gerade geltenden Klangideal, zahlreiche Bedeutungen. Bevor Verdi seine robusten, dramatischen und bisweilen gar hässlichen Rollen erfand, galt Gesang als schön, wenn er sich in jeder Hinsicht als ausgeglichen präsentierte – zwischen dem Brust- und dem Kopfregister, zwischen Virtuosität und Gesanglichkeit, zwischen Pathos und Leichtigkeit.

Brindisi: Italienisch für »Trinkspruch«. Das Wort ist der Landsknechtssprache (»bring dir's«) entlehnt.

Cabaletta: Schneller Schlussteil einer zweiteiligen Arie.

Cantabile: Italienisch für »gesanglich«. Wurde ursprünglich als Bezeichnung in der Instrumentalmusik verwendet, in der italienischen Oper des 19. Jahrhunderts dann auch (wie Cavatina) für den langsamen ersten Teil einer zweiteiligen Arie.

Cavatina: Im 17. Jahrhundert eine einteilige, im späten 18. Jahrhundert eine zweiteilige Arienform, im 19. Jahrhundert der langsame erste Teil einer zweiteiligen Arie.

Cimbasso: Für Verdi ein Sammelbegriff für tiefe Blechblasinstrumente wie Basshorn oder Ophikleide, die im Umfang etwa der Basstuba entsprechen.

Daktylus: Dreiteiliger Versfuß der Abfolge »lang-kurz-kurz«.

Demi-Monde: Französisch für »Halbwelt«. Der Begriff wurde von Alexandre Dumas dem Jüngeren im Titel seines Theaterstücks *Le Demi-monde* (1855) für die Welt der Kurtisanen geprägt.

Dominante: Französisch für »beherrschend«. Der von Jean-Philippe Rameau in die Musiktheorie eingeführte Begriff bezeichnet die fünfte Stufe der Tonleiter, deren Terz den Leitton zur Grundtonart darstellt und zu dieser ein Spannungsverhältnis aufbaut.

Finale: Italienisch für »Schlussstück«. In der Opera buffa des 18. Jahrhunderts ein großes Handlungsensemble am Ende jedes Aktes. Zu Verdis Zeiten hatte sich für die Aktschlussfinali eine weitgehend feste Form etabliert, die von dem Wechsel zwischen rezitativischen und ariosen Abschnitten geprägt ist. In *La Traviata* besteht das Finale des 1. Aktes aus der großen Soloszene Violettas.

Introduzione: Eröffnungsszene einer Oper, zumeist ein großes Ensemble mit ineinander übergehenden, dennoch klar voneinander getrennten Nummern.

Kantilene: Aus dem Italienischen entlehntes Wort für eine melodische Linie.

Koloratur: Wörtlich übersetzt »Färbung«, bezeichnet der Begriff längere musikalische Verzierungen auf einer Textsilbe, deren Virtuosität zum Ruhm der Sänger beitrug.

Melisma: Aus dem Griechischen entlehntes, der älteren Musik eigenes Wort für musikalische Verzierungen auf einer Textsilbe (wie Koloratur).

Opera buffa: Sammelbezeichnung für verschiedene Opernformen des 18. Jahrhunderts mit komischen Sujets und einer spezifischen Dramaturgie, deren Besonderheiten in direkt auf das Geschehen bezogenen Arien und großen Handlungsensembles an den Aktschlüssen bestehen.

Opera seria: Sammelbezeichnung für Opern des 18. Jahrhunderts mit heroischen Sujets und einer spezifischen Dramaturgie, deren Besonderheiten in einer deutlichen Trennung zwischen Dialog im Rezitativ und emotionaler Reflexion in der Arie ebenso bestehen wie in der typischen Da-capo-Anlage der Arien.

Ostinato: Italienisch für »beharrlich«. Bezeichnet eine Kompositionsweise, bei der ein bestimmtes Motiv, zumeist im Instrumentalbass, ständig wiederholt wird und ein musikalisches Gerüst bietet, über dem sich die anderen Stimmen frei entfalten können.

Particell: Entwurf eines Musikstücks, dem Klavierauszug ähnlich, bei dem die Stimmen noch nicht ausgeschrieben sind und die Instrumentation noch nicht existiert.

Peripetie: Griechisch für »plötzlicher Umschlag«. In der antiken Tragödienpoetik der Moment, an dem das Schicksal des Protagonisten eine unerwartete Wendung nimmt.

Pezzo concertato: »Konzertierendes Stück«. Der langsame, gleichsam innehaltende Hauptteil eines großen Aktfinales, der sich, normalerweise von einer solistischen Einleitung ausgehend, zu einem oft vom Chor unterstützten Ensemble ausweitet. In *La Traviata* beginnt das Pezzo concertato mit dem Auftritt Germonts »Di sprezzo degno« bei Floras Fest im Finale des 2. Aktes.

Preludio: Wörtlich »Vorspiel«. Bei Verdi eine meist kurze instrumentale Einleitung, in der Themen und Motive aus der Opernhandlung verarbeitet sind.

Rezitativ: In prosaähnlichen Versen verfasst, unterscheidet sich das Rezitativ auch im 19. Jahrhundert von den Arien durch einen formal offenen, der Theaterdeklamation abgelauschten musikalischen Tonfall.

Risorgimento: »Wiedererstehung«. Bezeichnet die politische Bewegung, die im 19. Jahrhundert zur Einigung Italiens führte.

Scena ed Aria: Die zentrale musikalische Form der italienischen Oper des 19. Jahrhunderts. Sie setzt sich zusammen aus orchesterbegleitetem Rezitativ und verschiedenen Arienabschnitten, die sich zu einer großen, eng aufeinander bezogenen Episode verbinden.

Tremolo: Das durch extrem schnelle Tonrepetitionen vor allem auf Streichinstrumenten erzeugte »Zittern« dient in der Orchesterbegleitung der klanglichen Illustration von Spannung, Angst oder Bedrohung.

Unisono: Der »Einklang« zu übersetzende Begriff bezeichnet einen musikalischen Moment, in dem mehrere Stimmen dasselbe singen. In der mehrstimmigen Musik, insbesondere in der Oper, wo unterschiedliche Charaktere aufeinander treffen, ist das Unisono ein probates musikalisches Mittel, um Einigkeit, Gemeinsamkeit oder Versöhnung hörbar zu machen.

Abbildungsnachweis

akg-images: 11, 15, 17, 28, 43, 58, 80, 101, 123
akg-images / Joseph Martin: 39
akg-images / Marion Kalter: 71, 109
akg-images / MPortfolio / Electa: 113
Bärenreiter-Bildarchiv: 111
Barbara Braun / drama-berlin.de: 72 unten
Deutsche Grammophon GmbH: 115
Karl Forster: 66, 67 unten, 68, 72 oben
Wilfried Hösl: 76
IAM / akg: 32
Thomas M. Jauk / Staatsoper Hannover: 67 oben
Suzanne Schwiertz / Opernhaus Zürich: 70 oben, 98
Martin Sigmund / Staatsoper Stuttgart: 69 unten, 70 unten
Victoria and Albert Museum, London: 8
Ruth Walz: 45, 65, 69 oben

Wir danken den Rechteinhabern und den Opernhäusern für die gute Zusammenarbeit.

Bücher zum Verdi- und Wagner-Jubiläum

Volker Mertens
Wagner – Der Ring des Nibelungen
216 Seiten,
mit 33 Abb. und
20 Notenbeispielen
ISBN (Henschel)
978-3-89487-907-5
ISBN (Bärenreiter)
978-3-7618-2260-9

Daniel Brandenburg
Verdi – Rigoletto
136 Seiten,
mit 29 Abb. und
9 Notenbeispielen
ISBN (Henschel)
978-3-89467-908-2
ISBN (Bärenreiter)
978-3-7618-2225-8

Robert Maschka
Wagner – Tristan und Isolde
136 Seiten,
mit 27 Abb. und
34 Notenbeispielen
ISBN (Henschel)
978-3-89467-924-2
ISBN (Bärenreiter)
978-3-7618- 2224-1

Detlef Giese
Verdi – Aida
136 Seiten,
mit 32 Abb. und
12 Notenbeispielen
ISBN (Henschel)
978-3-89487-903-7
ISBN (Bärenreiter)
978-3-7618-2226-5

Melanie Wald / Wolfgang Fuhrmann
Ahnung und Erinnerung Die Dramaturgie der Leitmotive bei Richard Wagner, 272 Seiten,
mit 62 Notenbeispielen
ISBN (Henschel)
978-3-89467-925-9
ISBN (Bärenreiter)
978-3-7618-2269-2

Dieses Buch nimmt Wagners Leitmotive auf eine neue Weise ernst, indem es nach ihrer Bedeutung für das dramatische Geschehen fragt. Der musikalische Ausdruck der von Wagner als »Gefühlswegweiser« bezeichneten Leitmotive ist so vielgestaltig wie ihr theatralischer. Besprochen werden die sieben großen Musikdramen Wagners – die Tetralogie *Der Ring des Nibelungen*, *Tristan und Isolde*, *Die Meistersinger von Nürnberg* und *Parsifal*.